To my teacher Armen A. Alchian

In grateful memory

給老師阿爾欽

感激與懷念

經濟解釋　第四版

全五卷之四：合約的一般理論

ECONOMIC EXPLANATION,
FOURTH EDITION
BOOK FOUR OF FIVE:
THE GENERAL THEORY OF CONTRACTS

張 五 常 著
Steven N. S. Cheung

Arcadia Press
花 千 樹

目錄

第四版引言

　　合約的經濟學分析源於一九六六年寫博士論文時我解通了佃農理論的密碼。佃農是一種分成合約，地主與農戶把農產品的收穫以一個百分率分享，沒有固定的租金或固定的工資。我提出的理論與事實的引證皆支持着佃農分成、固定租金、固定工資與地主自耕這四者是有着相同的產出效果，跟傳統之見有別。既然產出的效果相同，我不能不問在同樣的產權局限下，為什麼市場會出現很不相同的合約安排。

　　這就帶到合約選擇的分析，而博士後我跟着發表合約結構，婚姻合約，蜜蜂租約，價格管制對合約的影響，座位票價，發明專利與商業秘密的租用，中國改革的合約轉變，公司的合約安排，石油交換合約等。可以説，我的經濟學研究全部跟合約有關。當年我是非常幸運地一腳踏中了一個龐大無比的金礦，或是走進了一個新天地，於是不斷地走下去。

　　我要到二〇〇三年考查中國的經濟制度時，試行解通這制度的密碼，才肯定我想了多年的一個問題：人的行為不可以沒有約束，在社會中約束人與人之間的競爭局限是產權制度，而產權制度可以看為合約安排。豁然開朗，風俗、宗教等皆可看為是有約束性的合約安排。產權與合約基本上是同一回事，二者選其一來解釋在社會中因為人類競爭需要約束而出現的行為，從合約那方面處理較為優勝。通過產權的角度處理好些時來得過於抽象，要推出可以驗證的假説比較困難。

　　產權的界定決定制度，制度的選擇也就是合約的選擇。從合約的角度處理人與人之間的競爭，是我知道最能方便地推出驗證假說的方法。漠視產權或漠視合約，重要的交易或制度費用這項局限不知放到哪裡，可以驗證的解釋行為的假說不容易推出來。

                                    張五常　二〇一七年二月

合約的一般理論
The General Theory
of Contracts

競爭一定要受到約束，而這些約束可以看為合約的安排。私有產權、論資排輩、管制規例、風俗宗教等，皆可以看為廣義的合約安排，因為這些約束是社會中人與人之間需要互相遵守的規則，無論是自願的還是被迫接受的。合約的存在不一定要有市場成交。從合約的角度看約束競爭重要，因為產權的理念往往來得抽象，相比起來，合約的角度是比較直接地帶到什麼可以做什麼不可以做那些方面去。

第一章：經濟學的缺環

從新古典發展起來的經濟理論又稱選擇理論（theory of choice），即是人的行為或行為促成的現象一律是人類自己選擇的結果，包括自取滅亡的行為，而這選擇是受到局限條件的約束。局限的轉變可以翻為成本或代價的轉變。代價也是價，所以不管有沒有市場，需求定律同樣用得着。

複雜無數倍的分析是我們的社會有人與人之間的競爭。老師阿爾欽說因為競爭出現了產權；我改了一下，說約束競爭出現了合約，進一步稱約束競爭的合約費用為交易或制度費用。這些費用是成本，或是代價，也即是價，其變動引起的行為又再要受到需求定律的約束了。

合約是制度，合約的選擇就是制度的選擇。經濟科學不問觀察到的合約或制度是好還是不好。實際的看法是：合約或制度是人類選擇的結果。我們因而問為什麼會有這種那種不同合約或不同制度的安排。

一九六六年的夏天，思考《佃農理論》時，我把佃農作為合約看，問：為什麼會有佃農分成這種合約呢？一九六七年初我以一整章處理合約的選擇，一九六八在芝加哥大學找到新資料，作了補充，《交易費用、風險規避與合約安排的選擇》一九六九年四月發表。那是我知道的第一篇開門見山地處理合約的經濟學文章。

　　然而，雖然合約也是制度，但比起一個國家的制度選擇，
市場的合約選擇屬小兒科。我要到十年之後的一九七九年才開
始苦思一個國家的制度選擇。結果是一九八一年寫好的《中國
會走向資本主義的道路嗎?》那篇長文。因為行內朋友反對的
無數，該文要到一九八二年才發表。推斷肯定，理論清晰，而
跟着中國的發展彷彿是拿着該文對着鏡子看。這個毫無碰巧成
分的準確推斷使我對自己關於制度選擇的分析充滿信心，今天
回顧這信心來得不易，因為曾經有四位獲諾獎的經濟學朋友當
年反對該文的推斷。

　　那是三十多年前的往事了。從那時到今天我在合約與制度
的思考上沒有中斷過。二〇一二年從頭再寫二〇〇二年出版的
《制度的選擇》，在沒有其他重要工作的干擾下用了十八個月。
思想集中，應該有很大的改進。今天（二〇一六）再修，我把
《制度的選擇》分為《合約的一般理論》與《國家理論與經濟
解釋的理論結構》兩卷，即是《經濟解釋》從四卷變為五卷
了。

第一節：缺環的闡釋

　　二〇〇七年五月至八月間，我以《經濟學的缺環》為題發
表了一系列十一期文章，目的是做一些"熱身"運動，讓自己
的腦子進入狀態，因為答應了科斯寫題為《中國的經濟制度》
那篇長文。自二〇〇二年舊版《經濟解釋》卷三《制度的選擇》
結筆後，嚴謹的學術論著我沒有繼續，恐怕腦子不中用了，所
以先寫那十一期操練一下。當時覺得還可以。然而，二〇〇八
年的春天《中國的經濟制度》完稿後，反覆重讀，察覺到在合
約的思維上自己進入了一個此前沒有到過的層面。尤其是《中
國》的第三節——《合約的一般概念》——科斯讀後認為重要。

這新層面的出現使我意識到《制度的選擇》不應該修改，而是要從頭再寫。事實上，這重寫在卷二《收入與成本》修改了一小部分後就開始了。

傳統的經濟學分析，關於資源使用與收入分配稱"微觀"；失業、貨幣、通脹等話題稱"宏觀"。合約的安排這組現象被漠視了，成為一個重要的缺環。不引進合約分析，交易費用這項局限被處理得拖泥帶水，我們無從深入地分析資源使用、收入分配，以及失業、通脹等現象。例如卷二《收入與成本》的第三章我從公司合約的角度分析失業，卷三《受價與覓價》的第六章我提出合約結構的變化主宰着上頭成本與直接成本之間的灰色地帶，所到之處不見古人，傳統的經濟學是無從處理的。嚴格來說，漠視合約這個重要環節，我們不容易從資源使用與收入分配的理論基礎解釋些什麼。

局限條件要從事實看

我們可以假設交易費用是零而成功地解釋魯濱遜在他的一人世界的行為，因為他的世界交易費用的確是零。但轉到我們大家活着的社會，我們要怎樣假設交易費用才對呢？我說過，在實驗室做實驗，指明要用清潔的試管，我們不可以用髒試管而假設是清潔的。試管是潔還是髒是一個需要指定的條件，自然科學稱驗證條件，經濟學稱局限條件。交易或社會費用是局限條件的一種，要解釋行為這條件的假設不容許與事實不符。不幸的是，經濟學的實驗室是真實世界，我們不能像在人造的實驗室那樣，把髒試管清洗一番。我們要在實地考查那些有關的驗證條件究竟是怎麼樣的。

這種考查永遠不易，而牽涉到交易或制度費用一般困難。說這是因為交易費用那是因為交易費用不一定錯，但如此這般地假設真實世界的局限是近於無聊的玩意了。一個折衷的辦法，是先以交易費用解釋合約的選擇，然後從合約的局限約束再解釋資源使用與收入分配的現象或行為。不是那麼容易，但可以做到，而這樣一來，因為填補了一個重要的缺環，我們對人類行為的解釋就有了一條可走的通道。

選擇問局限，不問好不好

合約與制度是同一回事，只是後者通常牽涉到較為廣闊的範圍。同學們要注意，我說的制度選擇不是問什麼制度好什麼制度不好，而是問為什麼會有這種或那種制度，即是問為什麼會有這種或那種合約了。問為什麼工業會有件工合約跟問昔日的中國為什麼會有人民公社，二者的性質相同，雖然後者我沒有深入研究過，想來遠為難於處理。至於人民公社帶來饑荒則遠為容易解釋，是公社合約帶來的效果。解釋公社合約是制度選擇的分析，不容易，但經濟學不問饑荒是好還是不好。

饑荒往往是合約或制度的後果。沒有誰會選擇自取滅亡，但我選走的經濟學範疇，解釋或推斷行為只能從選擇這個基礎假設入手，局限有變其選擇會跟着變。當然還有其他解釋人類不幸的理論，而以經濟理論混合着博弈理論來解釋自取滅亡的分析，三十多年來頗時尚。我不認為博弈理論可以驗證，從個人信奉的科學方法看這些理論不是有解釋力的學問。說過了，我選走的路是以考查可以觀察到的局限轉變來推斷行為的轉變。自己肯定走得對，但不是唯一可以解釋人類行為或經濟現象的方法。

制度是合約的安排。這安排是選擇的結果，是好是壞是倫理道德的話題，不是科學可以協助找到答案，我管不着。令人遺憾的是絕少經濟學者從合約安排的角度看制度。說漠視合約分析是經濟學的嚴重缺環，也是說對制度的理解是一個缺環了。不能說這缺環今天還存在：事實上"合約"一詞在新制度經濟學的發展下變得朗朗上口。然而，我不認為這新發展的路向走得對，是後話。

第二節：自然淘汰的思維

一些行內朋友說關於合約的經濟分析起自我一九六九年發表的一篇關於合約選擇的文章，應該不對。瑞典的沃因（Lars Werin）說合約牽涉到一個結構起自我的《佃農理論》，可能對。合約（contract）一詞，在我之前經濟學一般只用於描述帕累托至善點的合約曲線（contract curve）。回顧經濟思想的歷史，斯密在他的《國富論》中就用了一整章分析農地使用的制度安排的演進，也即是農業合約安排的演進了。

斯前輩之見，是原始的奴隸制度是最沒有經濟效率的制度，因為奴隸只管吃，不管做。他因而推論，佃農分成逐步替代了奴隸；然而，因為分成要分一部分產出給地主，有政府抽稅的效果，經濟效率也不善。他於是認為一個固定租金的制度比佃農分成優勝。再推下去，斯密認為固定租金的安排往往為期短暫，耕耘的農民沒有安全感，在生產效率上還有問題。他於是認為，最有效率的農地使用制度是一個有長久年期的固定租金制度，但這後者制度是英國的農業獨有。這個英國農地制度優勝的看法在經濟學傳統持續了很多年，直至上世紀三十年代美國的卜凱教授調查研究中國的農業才提出有別之見，而邏輯上證明斯密錯可見於一九六七年我寫好的《佃農理論》。

斷章取義誤解前輩

這裡有一個更重要的話題。斯密分析農地使用演變的主旨，可不是有沒有經濟效率那麼簡單。他以一整章示範"適者生存不適者淘汰"這個重要思維。斯密這句名言被引用了無數次："我們的晚餐可不是來自屠夫、釀酒商人，或麵包師傅的仁慈之心，而是因為他們對自己利益的特別關注；我們認為他們給我們供應，並非行善，而是為了他們的自利。"單看這句會斷章取義地理解錯。如果細讀這些話之前的文理，我們會察覺到斯密說的是自然淘汰（natural selection）：人類自私是因為不能不自私！這樣看，跟他早一本小書《道德情操論》（*The Theory of Moral Sentiments*）的論點加起來就變得沒有矛盾：早一本說人類天生有同情心，後一本說可惜不自私不能生存。

真巧，動筆寫這章時我讀到林行止的《信報》專欄，題為《現代經濟學奠基者——達爾文取代斯密》，內容提到美國一位經濟學教授說："一百年後，經濟學家可能認為經濟學的智性奠基者，是達爾文而不是斯密！"有點奇怪。五十年前我讀斯密與達爾文，認為後者的"適者生存"意識源自前者。當時科斯、施蒂格勒等前輩皆這樣看，怎麼今天徒弟變作師傅了？

達爾文是數世紀一見的科學天才，精彩的論著無數，其中屢次提及生命的經濟原則（the economy of life）。他是富家子弟，用不着打工為生計，正規的生物學訓練不是那麼好。天才絕頂無疑問，受到斯密《國富論》的影響也無疑問。今天，衡量人類科學思想發展的專家們，不少認為達爾文的"自然淘汰"是古往今來最重要的思維。這思維源自斯密：整本《國富論》都有自然淘汰的味道。

適者生存要從局限轉變看

這就帶來一個嚴重的問題：斯密分析農地使用制度演變那

一章，以事實衡量，近於全盤錯了！奴隸制度不是那麼無效率，佃農分成沒有遭淘汰，而斯氏高舉的英國獨有的長期固定租約制度，在中國宋代起有記載，稱永佃制，生產效率不是那麼高，明清之後漸被遺棄。一九三五年國民黨政府調查了中國八個省份，得到的結果是一九三四年永佃制佔所有農地使用租約百分之十一。相比起來，百分之二十九的租約無期限——每季收成後可以終止；百分之二十五是年租；百分之二十七是三至十年；百分之八是十至二十年。同樣地區與地質，每畝的產量大致相同。這些數字因而不支持斯密之見。

原則上，適者生存這個論點不可能錯，因為可以闡釋為套套邏輯（tautology）。我們要怎樣看才對呢？我個人的看法，是合約或制度的轉變源於局限條件的轉變，尤其是交易或制度費用這種局限。這樣，適者生存要從某些局限的存在或不存在看。源於局限轉變而變的合約或制度安排可以很微小，不容易察覺，有時近於式微又再盛行，正如有些生物種類近於滅絕又再興盛。這後者現象達爾文當年可能不知道。像人民公社那個層面的大轉變，牽涉到的局限轉變當然是驚世駭俗的了。

我跟蹤過中國的人民公社從大鍋飯制轉用工分制，繼而從生產大隊到生產小隊，再繼而到包產到組、到戶，承包合約，層層承包，從而發展到今天的縣際競爭制度，等等，皆可以看為合約或制度安排的轉變，過程中的局限轉變是明確的。恨不得自己還年輕，可以從頭詳盡地考查與分析中國六十多年的局限轉變帶來的制度演變的過程。應該是相當清晰的。人類歷史很少見到這麼精彩而又有明確連貫性的經驗。

回頭說達爾文的自然淘汰或適者生存觀，二〇一一年我致函沃因說，我搞不清楚是理論還是套套邏輯。他回信說歐洲有不少學者也這樣問，但得不到肯定的答案。問題其實不重要，

因為套套邏輯可以是非常重要的思維，提供着一個範疇約束及
引領着我們怎樣想。我認為在西方經濟學二百多年的發展中，
引用達爾文的思維而得到石破天驚的貢獻的，是老師阿爾欽
一九五〇年發表的《不確定、進化，與經濟理論》。該文回應
當時行內的一個大爭議：前景無從確定，我們怎可以用爭取財
富或收入極大化這個假設來解釋行為呢？阿師答得簡單精彩：
在資源缺乏的競爭下，適者生存是收入極大化的證據！人的意
圖為何大可不論，結果是支持着個人爭取收入極大化這個假
設。如此類推，合約或制度的選擇也是局限轉變約束着的適者
生存了。

馬歇爾與約翰遜皆中計

　　斯密之後，分析農地使用制度的西方學者不少（見拙作
《佃農理論》第三章），可惜他們的分析沒有從合約結構的角度
入手，這裡說的經濟學缺環因而沒有被填補了。最令我惋惜的
是馬歇爾。此君知道佃農分成是一種合約，認為變化多，知道
深入研究重要。一八九四年，馬氏作英國《經濟學報》的主編
時，把一位名為 Henry Higgs 寫的《法國西部的佃農分成》放
在首位，高舉這篇文章。可惜該文作者只調查了一個農戶，而
此戶的佃農分成率剛好是五十、五十。馬歇爾聽到這分成率可
以變，但 Higgs 誤導了他，使他同意密爾提出的佃農分成比率
是由風俗決定的說法。如果馬氏知道佃農分成的比率有大變化
是實情，以他的天賦，找到多年後我分析的答案用不着三十分
鐘吧！

　　一九六七年，芝加哥的約翰遜（D. Gale Johnson）告訴
我，這個佃農分成五十、五十的“風俗”傳言真的害死人！他
那一九五〇年發表的關於佃農的文章也被這風俗之見約束着，

跟阿羅一起以方程式證來證去也得到無效率的結果。

　　缺環依舊，主要是因為經濟學者沒有深入地考查合約結構。約翰遜當年知道我是在填補經濟學的一個重要缺環，不斷地鼓勵，我終生感激。

第三節：新制度經濟學的起源

　　"新制度經濟學"（neoinstitutional economics）一詞是威廉姆森（O. Williamson）上世紀八十年代中期提出的。今天，不少行內朋友喜歡稱我為新制度經濟學的創始人之一。不一定錯。一九九五年巴澤爾在他的論文結集的序言中寫道："我今天認為，一九六九年史提芬來到西雅圖時，他已經是經濟學行內的產權及交易費用的第一把手了。"是一夫之見。六十年代興起的新制度經濟學就是產權及交易費用的學問，而巴兄後來也是這範疇的一個重要人物。一九九〇年，後來獲諾獎的諾斯說有一個華盛頓大學處理交易費用的路向，舉我為該路向的創始人。這路向今天被稱為華盛頓學派。一九八二年我離開華大可能是離開得太早了。

　　今天回顧，六十年代時，從事產權及交易費用研究的主要是四個人：阿爾欽、科斯、德姆塞茨和我。在此之前，在類同範疇作出重要貢獻的有奈特（一九二四）、科斯（一九三七）、哈耶克（一九四五）、戴維德（五十年代口述）、H. S. Gordon（戈登，一九五四）等人。他們的作品雖然重要，但過於零散，沒有凝聚力，帶不起一個思想範疇（paradigm）的發展。六十年代初期，有關交易費用的三篇文章差不多同時出現：科斯寫社會成本問題（一九六〇，其實面世是一九六一）；施蒂格勒寫訊息費用（一九六一）；阿羅寫發明的收錢困難（一九六二）。這三位皆大師人物，但我不能把後二者算進去，因為他們沒有分析產權，沒有進入制度的範疇內。

"舊"與"新"的分別

有"新"不可以沒有"舊"。舊制度經濟學是關於什麼呢？有兩部分。其一是"制度比較"（comparative economic systems），主要是問資本主義、共產主義、社會主義等什麼好什麼不好，概念模糊，內容空洞。那些是二戰後的"冷戰"學問，是政府看得見的手與市場看不見的手之爭。與此同時，經濟發展學的胡說八道盛極一時。弗里德曼一九五七年出版的《消費函數理論》是一顆亮星掠空而過，讓大家看清楚一個好去處：經濟學可以解釋現象。經濟學的科學方法大辯論從那時開始，持續了約二十年。

舊制度經濟學的第二部分，是經濟歷史。我很喜愛這部分，因為其中的表表者考查史實嚴謹詳盡，而歷史究竟發生了些什麼事一般是有趣的話題。經濟歷史搞得深入的都是有學問的人，吸引着我。很不幸，當時的經濟歷史專家一般對新古典經濟學的邊際分析欠缺充分的掌握，對假說驗證的法門趕不上潮流，因而被操作方程式的小看了。

是在這樣的環境中，新制度經濟學像一隻鳳凰從火灰中飛起，其出現是為了解釋現象，是為了驗證假說，歷史與事實的考查受到重視，從事者對邊際分析有充分的掌握。要點是引進產權及交易費用這兩項不容易處理的局限。這是六十年代與七十年代初期的發展，跟着的我失望。

合約結構的思維源自捆綁銷售

我是一九六一年進入洛杉磯加大研究院的。六二年開始細讀科斯的《社會成本問題》，讀了三年。六七年的秋天我才有機

會認識科斯，那是我寫好《佃農理論》之後了。起碼有三本書
介紹科斯定律之後以我的佃農理論作為應用該定律的示範，可
見科斯對我的影響隱瞞不了。科斯對新制度經濟學的貢獻下章
才說。其實戴維德的捆綁銷售口述傳統對我的佃農理論的影響
更大。這是因為捆綁銷售顯然是一種有結構性的合約——只有
一個價而沒有其他條款的交易合約沒有結構。佃農分成的合約
沒有一個價，所以我逼着要從有結構性的合約那方面想。佃農
理論動筆時對我影響最大的是赫舒拉發與阿爾欽。我重複地聽
他們的課聽了三年，而佃農理論是在他倆指導下寫成的。

德姆塞茨的貢獻

六十年代初期德姆塞茨也在洛杉磯加大。一九六二年我是
他的改卷員。此君善忘，後來竟然完全記不起我替他改過卷！
在加大時他的著作不怎麼樣，但六三年轉到芝大，受到施蒂格
勒與科斯的影響，一下子聰明起來。六四年初阿爾欽偷偷地給
我一份說明不可示人的厚文稿，德姆塞茨寫的（後來分為兩篇
文章發表），對我有影響。德兄是難得一見的文筆表達得清晰絕
倫的人。受到科斯的影響，他把交易費用的考慮帶到闡釋帕累
托至善點那邊去。（可惜德兄對解釋世事不走假說驗證的路。）
得到他的啟發，我後來把問題推到盡，得到的結論是如果所有
局限條件都放進分析，帕累托條件或至善點一定得到滿足，無
效率或浪費的出現，是源於某些局限沒有放進分析，而解釋行
為所需要指定的局限不一定滿足帕累托。換言之，可以驗證的
假說需要引進的局限，不需要滿足帕累托，而無效率的出現永
遠是源於有不需要指定的局限被漠視了。這教我後來分析問題
時必用如下法門：凡是足以解釋行為但沒有滿足帕累托的假
說，我必定停下來考慮是哪些局限條件我沒有放進去，衡量這
些被排除的局限與要解釋的現象是否沒有關係的。

阿爾欽的口述傳統

轉談阿爾欽的貢獻吧。兩年前某媒體問誰對我的影響最大，是弗里德曼還是科斯？我回答說都不是，是阿爾欽。我歷來認為，上世紀六十年代的阿爾欽是世界上最優秀的經濟學者。不止我一個人這樣看，但我有我的理由。

阿爾欽當年算不上是名滿天下（今天是），有兩個原因。其一是他的作品是多方面的，但過於分散，沒有主題。其二是他的偉大思想主要是授課時的自言自語，以及跟他研討時聽者得到的啟發。為什麼會是這樣我不懂。他有些了不起的思想寫進大學一年級的課本去，沒有像在正規的學報發表那樣有系統地發揮。例如今天在中國好些同學欣賞的一句話——價格決定什麼遠比價格是怎樣決定的重要——我只是從阿師的口述聽到，發展開來是非常重要的思想。主要是由我發展的：我推到租值消散及減少租值消散那邊去。阿爾欽歷來高興我拿着他的口述用文字發揮——我當然不會忘記說來源是他的。

一個例子可讓同學們知道阿爾欽思想的驚人深度。在課堂上教需求定律，他不畫曲線，不用方程式，不教彈性係數，不教消費者盈餘，不談等優曲線，不管收入效應或替代效應。只談一條向右下傾斜的曲線的含意，他可以自言自語地講五個星期！天下沒有誰可以做到。我重複地聽了他的課，次次不同，加上憑自己的一小點本領，作修改，加補充，推出無限變化，就成為我今天教同學的洋洋大觀的需求定律了。

我認為阿師在新制度經濟學的貢獻，可不是他七十年代跟他人合著的兩篇大名文章，而是他口述的關於產權與競爭的傳統。這傳統在《科學說需求》第三章我寫過。今天阿爾欽被稱為產權經濟學之父，主要是他的學生傳開來的。

第四節：無從觀察的不幸發展

我今天認為新制度經濟學的不幸發展，源於一九六八年我在芝加哥大學推敲合約的選擇時，舉棋不定，引進了"卸責"（或偷懶）這個無從觀察的變量。後來一九六九年發表的關於合約選擇的文章，其中有兩段話寫來大費思量：

任何合約組合着不同物主，牽涉到洽商費用之外，還有監管投入與分配收入的費用。這些費用加起來是交易費用，分成合約的交易費用看來要比固定租金合約或工資合約的為高。佃農分成，除了分成率的議定及履行的監管，還有土地與非土地的投入比率需要決定，種植的選擇需要洽商。……固定租金或工資合約呢？租金或工資決定了，只需合約的其中一方就可以決定土地或非土地的投入與種植的選擇。還有，佃農分成是基於產出的真實的量，地主必須監察實際的產量為何。這樣，議訂合約條款與監管行為，分成合約的交易費用會比固定租金或工資合約的為高。

固定租金與工資合約的交易費用排列則顯得不明確。土地或大或小的監管費用應該比勞動力的監管費用為低。這是說，卸責（shirking）或偷懶的行為，在工資合約及分成合約均存在，監管費用不菲。另一方面，在固定租金合約下，雖然勞力卸責的行為不嚴重，但土地與其他土地附帶着的資產的維護，地主的監察費用會比工資合約為高。這樣衡量，為了節省交易費用，分成合約永遠不會被採用。為什麼會有分成合約呢？

簡言之，我是說，如果農地以固定租金合約租給農戶，地主要監管土地不被濫用或損害；如果地主以工資合約僱用農工，為恐農工偷懶地主要監察農工的操作，也要考慮種植什麼。佃農分成合約呢？地主既要監管土地，要防止偷懶要考慮

與洽商種植什麼，也要注意收穫分成時農戶不會出術行騙。佃
農分成既然有那麼多的處理麻煩，為什麼會被採用呢？這樣簡
單地提問，就問出經濟學的一片新天地來。

　　當年我用分擔風險來解釋佃農分成的採用，在註腳十二提
出了一個其實是錯誤的幾何分析證明。後來斯蒂格利茨不僅重
複了我的幾何錯失，加上用數學方程式再證，害得他拿了個經
濟學諾貝爾獎！我自己過了不久就放棄了分擔風險這個想法，
認為風險無從量度，因而無從驗證。再過一段時日我轉用不能
預先知道收成時的農產品的量來解釋佃農分成的採用。在卷五
我會較為詳盡地申述。（是有趣的觀察：時間工資合約的出現是
因為不知產品的價，佃農分成合約的出現是因為不知收成時的
量。都是後話。）

卸責觀點的起源

　　今天經濟學常見的卸責或偷懶等話題，也是上述的文章首
先提出的，而我在該文補加了一個長註腳（註腳十），把
shirking 帶到件工合約、餐館付小費等合約去。後來這篇文章
被認為是觸發了代辦理論（Principal-Agent Theory）的發展。

　　一九六八年阿爾欽造訪芝大，師徒驀地相逢，傾談的時間
當然多了。午餐時我跟阿師研討卸責這個問題，舉出當時困擾
着我的抬石下山的例子：兩個人抬石下山，合作一起抬每次的
量大於兩個人分開抬加起來的量。但合作抬石，甲會把重量推
到乙那邊去，乙亦會把重量推到甲那邊，結果是每次二人合作
抬得的總量會高於二人分開抬的總量（因為不這樣他們不會合
作），但會低於二人合作不卸責的總量。有卸責行為，二人合作
的總量從何而定呢？

廣西縴夫惹來麻煩

一九七〇年，多倫多大學的 John McManus 到我西雅圖的家小住。他正在用我的卸責思維寫公司理論，我向他舉出二戰逃難時在廣西見到的縴夫在岸上拉船，有人持着鞭子監管縴夫的例子。當時母親對我說，持着鞭子的人是縴夫們僱用的。一九七一年，我的想法改變了，認為卸責無從觀察，以之推出的假說無從驗證。跟着科斯問我對卸責怎樣看。我說想法改變了，認為這概念不管用。我可不知道，McManus 的公司文章寄到科斯主編的學報。後來該文延遲到一九七五年才在《加拿大經濟學報》發表。其實不管作者是誰，我不會反對發表該文。

廣西縴夫的例子後來在新制度經濟學大行其道。McManus 說是我的，M. Jensen 與 W. Meckling 一九七六年發表的公司理論說是 McManus 的，再後來一位澳洲教授竟然用我的名字為題，批評縴夫僱用持鞭者之說不對。其實麻煩的地方不是錯，而是不可能錯，於是無從驗證，沒有解釋用場：卸責或偷懶無從觀察，而法律的定義不論，究竟是誰僱用誰只有天曉得。當年香港大學要聘請新校長，同事問我意見，我說希望新來的知道是我們僱用他，不是他僱用我們。是說笑，但有誰可以證實我說的不對呢？

卸責、敲詐、機會主義

一九七二年，阿爾欽與德姆塞茨合作，以卸責為主題發表的一篇關於經濟組織或公司為何出現的文章，說合作大家有利，但卸責的行為需要監管，有監管功能的公司組織於是出現。該文是最大名的《美國經濟學報》發表過的被引用次數最多的文章。我不同意他們的分析，認為卸責無從觀察，以之作為基礎的假說因而無從驗證。一九七八年，B. Klein、

R. G. Crawford 和阿爾欽三位合作發表了一篇也是大紅大紫的關於公司合併（vertical integration，中譯縱向一體化）的文章，卸責之外加進了勒索、敲詐等理念，我認為也是無從觀察，於是無從驗證。

威廉姆森一九七五年出版的《市場與等級》也紅極一時，在卸責等行為上提出了機會主義（opportunism）等多項術語。以"機會主義"為首的術語其實是說每個人在局限下爭取利益極大化，但他把大家知道的基礎假設分類組合，可惜無從觀察，推不出可以驗證的假說。不是說威廉姆森的分析沒有道理，而是他沒有作過任何驗證——無從觀察的術語是無從驗證的。同樣，我不否認人會卸責、勒索、恐嚇或敲詐，但我們可以怎樣在觀察上鑑定呢？這些理念促使六十年代變得式微的博弈理論八十年代初期捲土重來，其普及興趣遠超早一浪的五十年代。也同樣，我們不能否認人會博弈——我不否認自己也博弈——但怎樣用觀察到的行為或現象來驗證博弈假說是一個我解不開的難題。我們讀到的無數博弈例子只是說故事，不是有機會被事實推翻的假說。

石油運輸推理與事實不符

讓我回頭說上文提到的 Klein-Crawford-Alchian 合著的關於縱向一體化的文章。該文的主旨是在一家機構之內，如果用於產出的資產對該機構有特殊的、不可分割的用途，不把這種資產合併使該機構一體化會遇到卸責、勒索、敲詐等干擾，使機構擁有的投資租值（即我說的上頭成本）被榨取了。在初稿中他們舉出兩個有說服力的例子：石油企業傾向於建造自己的輸油管，但租用運載石油的船。理由是運油船不同的企業皆可以用，租用因而普及，但輸油管是專為石油出處與煉油廠之間

的運輸而設，企業不自己建造，靠租用輸油管，豈不會容易地
被油管的擁有者勒索或敲詐了？是可信的故事，也是以物為本
的推理，比威廉姆森及博弈理論等以人為本的推理高明多了。

　　我當時作加州標準石油的顧問，對石油運輸的實情是專
家，知道事實不對，於是去信阿爾欽，說：所有有規模的石油
企業都各自擁有他們的運油船隊。三位作者因而把運油船傾向
於租用的例子刪除。當時我被僱用為換油合約的反托拉斯顧問
（見《受價與覓價》第五章第三節），知道一家石油機構可以容
易地通過石油交換合約而用另一家的輸油管，可以容易地租用
油管，也有不採油不煉油、只建造輸油管租給石油企業的機
構。可惜當時作為反托拉斯顧問，合約指明我不能跟外人談換
油這個話題。阿師三位推理的邏輯對，但事實錯得一團糟，發
生了些什麼事呢？

兩方面的困難

　　我認為困難起於兩方面。第一方面，是卸責或勒索等行為
雖然不能說沒有，但在觀察上我們無從肯定是些什麼。我們可
以從不同的觀察上排列某些費用的增加或減少，例如我們可以
從排隊輪購的人數增加而說購買的時間費用會增加，從而以這
樣的局限轉變解釋行為。但勒索無從觀察：某甲對我笑得有點
怪，甚或直說要勒索我，我怎可以知道他的真實意圖呢？我們
要從可以觀察到的局限轉變來解釋合約安排的轉變，然後再以
之解釋行為。

　　第二方面，不管是卸責還是敲詐、勒索，交易費用的局限
千變萬化，我們不容易猜測這些局限轉變帶來的合約安排會是
怎麼樣的。一個上佳的例子是上文提到的石油交換合約。
一九七六年加州標準石油聘請我作顧問，因為石油交換惹來反

托拉斯官司，要求我解釋是發生着些什麼事。我很快就意識
到，石油工業的專家們根本不知細節，不清楚石油交換是怎麼
一回事。甲公司問乙公司：我有油，可以在某地交給你，你可
否從某地還給我呢？大家同意，換油合約就簽訂了。因為換油
往往要換幾次才得到自己需要的，我要花兩年時間才能清楚地
以理論及事實證明石油交換是為了節省運輸費用。簡單嗎？有
關的反托拉斯官司打了不止二十年！

　　這裡的問題是上文提到的寫縱向一體化的三君子，說輸油
管不租用，要自己建造，因為有勒索、敲詐等行為，但事實是
當時石油公司之間以換油合約處理了不止半個世紀，而這些交
換是輸油管租用的替代，也可以看為是一種富於想像力的輸油
管租用安排。不作實地考查打死你也想不到！經濟學者不應該
坐在辦公室猜測外面的世界。他們要從考查真實世界出發，然
後從觀察到的局限轉變推出可以驗證的假說作解釋。

布魯納的影響

　　今天回顧，上世紀六十年代初期的洛杉磯加大的經濟系非
常強勁。一九六七年我到了被認為是經濟學少林寺的芝加哥大
學，覺得跟洛杉磯加大互有長短，差不多。六十年代初期加大
有一個布魯納（Karl Brunner）。我可以容易地推出加大的阿
爾欽與芝大的弗里德曼抗衡，但芝大可沒有一個布魯納。

　　布老師跟我合不來。我喜歡先以預感魂遊四方的思考方
法，他不接受，而我憑想像語驚四座的行為，在布老師的課上
我不敢開口。布魯納是我知道的最重視邏輯規格的經濟學者，
每一個關係他要拆到盡來看，每一個字的意思他不放過。初時
我覺得他有點小題大做，但過了不久我意識到，任何問題推理
推到盡頭，答案一定要通得過布魯納劃定下來的邏輯規格那一

關。

　　一九六二年的秋天我開始上布魯納的課，學宏觀。來得震撼是他指出凱恩斯提出的投資等於儲蓄的均衡點，可不是傳統説的意圖不意圖，也不是事前或事後等胡説八道，而是有可以觀察及無從觀察的分別。可以觀察到的投資與儲蓄永遠一樣，但意圖的投資與意圖的儲蓄則無從觀察，不是真有其物。這就帶到凱恩斯説的投資等於儲蓄的均衡，只可能是思想上的推論，不是真有其事，跟物理學説的真有其事的均衡是兩回事。若干年後，我認為凱恩斯學派的均衡分析全盤錯了：投資與儲蓄永遠相等，只是在好些情況下市民偏向投資於不事產出的項目，導致經濟不景，不是因為市民增加了儲蓄的意圖（見《收入與成本》第三章第一節）。

無從觀察可免則免

　　跟物理學不同，經濟學的均衡是一個概念，不是事實。一九六九年的春天，我駕車和科斯從溫哥華到西雅圖，途中他説"均衡"沒有用處，應該取締。我回應説經濟學的均衡跟物理學不同，前者不是事實，但應該保留，因為經濟學的均衡是指有足夠局限條件的指定，邏輯上可以推出有機會被事實推翻的驗證假説，而不均衡是指局限指定不足，於是無從驗證。科斯的回應，是我可能成為另一個馬歇爾。他可不知道，我對經濟學的均衡闡釋源自布魯納，也跟阿爾欽研討過。從來不否認我的思想全部是偷來的——我的本領只不過是搞出變化。

　　這就帶到一個遠為嚴重的問題。需求曲線與供應曲線交叉那個均衡點也是空中樓閣，在真實世界不存在。需求量與供應量其實是同類的量，因為供應是為了需求（見《受價與覓價》第二章第四節）。這裡的麻煩，是經濟學不可或缺的需求定

律，說價格下降需求量上升，但需求量是指意圖之量，不是真
有其物，需求定律的本身於是無從驗證。

　　一個可以驗證的假說，說如果甲的出現會導致乙的出現，
甲與乙必須可以在真實世界觀察到才可以驗證。現在需求定律
中的需求量不是真有其物，而這定律不可或缺，我們要怎樣憑
這定律推出可以驗證的假說是大費思量的難題。單是處理一個
無從觀察的"需求量"變量，我們要把這個意圖變量轉到一個
事實變量那邊去，為此我想了很長時日（見《科學說需求》第
六章），而今天新制度經濟學及博弈理論的發展，惹來無數無從
觀察的術語或變量，不可能不是一個非常不幸的發展。

　　在《科學說需求》第四章寫《功用的理念》時，我說"功
用"是邊沁想出來的，在真實世界不存在，為恐搞出套套邏
輯，我不用。貝克爾及不少大師喜歡用，是他們的取向。但他
們應該知道，要以功用理論推出可以驗證的假說，一定要推出
有兩個或以上的可以觀察到的變量的聯繫才可以驗證。他們怎
樣處理是他們的選擇，但我可以完全不用"功用"這個理念而
推出可以驗證的假說，老實說，簡單得多，強力得多，準確得
多。

　　我不懷疑自己的經濟解釋可以來去縱橫，其中一個主要原
因是每一步我避開了無從觀察的變量。在經濟學上，我不能不
接受因而要悉心處理的無從觀察的變量只是需求量，其他無從
觀察的變量我避如蛇蠍也。

第五節：合約理論的基礎

　　我在經濟學的貢獻主要是交易費用與合約理論，算不算是
新制度經濟學是無關宏旨的。從一九六八年發表的《私產與佃

農》到二〇〇八年的《中國的經濟制度》，自己比較稱意的作品
全部是以交易費用與合約為主題。沒有刻意這樣做，只是走上
了一條通道就繼續走下去。可幸變化多，自己認為有趣，有滿
足感。走這條路的行家奇怪地少，只我一士諤諤，新鮮的題材
俯拾即是。要說的是，《經濟解釋》的前三卷牽涉到的主要是傳
統的資源使用與收入分配。我把這些傳統之見修改了不少，沒
有解釋力的或可以被較簡單理論替代的給我淘汰了。我喜歡簡
單的理論，但要搞出變化。在寫前三卷的過程中我免不了在這
裡那裡加進合約與交易費用的思維，跟傳統範疇的分離因而再
增加了。

<h2 style="text-align:center">需要補加一個理論架構</h2>

　　我認為在資源使用與收入分配這兩方面，馬歇爾傳統提供
的架構相當完整，只是在收入分配這方面費雪的利息理論不能
不加進去。馬氏傳統對成本與租值的概念掌握不足，漠視了交
易費用，對假說驗證興趣不足——這些缺失大致上我作了修改
與補充。還有的是，馬氏的傳統把產品市場與生產要素市場分
開，我認為不對，簡略地說過，本卷分析公司的合約性質時會
再澄清。

　　本章寫經濟學的缺環，說傳統漠視了合約安排這組重要現
象，其實是說我們需要有一個合約的一般理論，即是說資源使
用與收入分配之外我們還需要有一個關於合約安排的理論架
構。可惜為了一個頭痛問題我遲遲不敢動筆。真的很難。每個
人在局限約束下爭取利益極大化是我接受的假設，沒有意圖偏
離或發明新的。然而，單是二十世紀的史實，有好幾次人類差
不多毀滅自己。我不懷疑人類自我毀滅是可能發生的事，但每
個人爭取自己的利益極大化怎可以導致這樣的悲劇呢？老師赫

舒拉發曾經出版過一本書，以星球大戰的一個續集之名為題，稱 *The Dark Side of the Force*（《力量的暗面》），我對他說這名目起得好！這是以博弈理論處理人類的自我毀滅。師徒皆認為大悲劇可能出現，但徒弟認為博弈理論無從驗證，因而不是好去處。

人類自我毀滅的合約安排

這就是問題。斯密的古典傳統看不到悲劇；馬歇爾的新古典傳統也看不到悲劇。薩繆爾森說得好："上帝鑄造了什麼？帕累托至善點！"原則上，一般而言，在局限下爭取個人利益極大化只會改善社會，何來人類滅絕了？在馬歇爾傳統的資源使用與收入分配這兩個理論架構下，無論局限怎樣轉變，除非遇上考古家說的滅絕恐龍的天災，大悲劇不會發生。換言之，邏輯上，斯密與馬歇爾的傳統不容許大悲劇出現。然而，二十世紀的經驗說人類自我毀滅是可以出現的。

我終於想到的答案，是大悲劇只能源於制度出現了問題，也即是合約的安排出現了問題。這裡的關鍵，是合約或制度可能帶來大悲劇主要源於某些安排是眾多的人不能不一起參與的，而參與後不能退出。你跟另一個人合伙做生意，破產收場，對社會不利，但為禍不大。數萬人購買一間公司的股票，破產對社會更不利，但每個股民隨時可把股票出售，退出，對社會整體的不利影響有明確的限度。然而，如果一個社會的每個人都要參與一個組織的合約安排，不能選擇不參與，也不能在中途退出——好比昔日中國的人民公社——大災難可能出現。一個國家的制度是合約安排，一個國家的憲法是合約，國民要一起參與，退出走投無路，大家因而被捆綁在一起，是大災難出現的一個必需條件。不是大災難的足夠條件，而是必需的。

我不要在這裡分析那些不罕有的走投無路而又不能退出的
合約或制度安排，因為這類安排必然牽涉到政治，我不懂。然
而，要推出一個有一般性的合約理論架構，漠視不能不參與也
不能退出那部分是美中不足。我會在卷五從三方面猛攻一下行
內朋友期待我寫已久的國家理論（theory of the state），"走投
無路"會是其中的一個含意。

阿師之見提供架構基礎

我要從阿爾欽的思維說起。阿師之見，在資源缺乏的情況
下，社會必有競爭，而界定競爭勝負的遊戲規則是產權制度。
阿師也認為在私有產權的制度下，決定誰勝誰負的準則是市
價。價格決定什麼因而比價格是怎樣決定的重要：通過競爭的
勝負選擇，資源使用與收入分配就被市場決定了。

從這個簡單而又清晰的角度看產權沒有科斯定律那樣看產
權來得那麼震撼，但阿爾欽的看法提供了一個分析架構的基
礎，比科斯的遠為容易發揮。作為後學我二者皆用。這裡先從
阿師教的發揮，從科斯定律發揮的是第二章的話題。我是唯一
得到阿爾欽及科斯親自傳授的後學——他們的主要學問大致上
我都吸收了。是運情，天下只我一個。阿爾欽比我年長二十二
歲；科斯比我年長二十五歲——前者教了我四年，後者是我的
深交。沒有一個同學或行內朋友有我的際遇。

只一種準則沒有租值消散

發揮阿師的思想，我的延伸主要是三點。第一點，當年我
首先想到的，是作為決定競爭勝負的準則，市價是唯一不會導
致租值消散的。這是因為在市場交易，要獲取他人的物品你必

須自己先有產出，對社會有所貢獻，才可以在市場通過市價交換。當時在西雅圖華大我跟巴澤爾研討了多次，想不出不會在某程度上導致租值消散的任何其他準則——從排隊輪購到論資排輩到人際關係等等的可以決定勝負的準則，某程度必有租值消散出現。你建議市價之外的任何決定競爭勝負的準則，我可以告訴你租值消散會在哪裡出現——這是當年巴兄和我的共識——只有市場的交換價格推不出租值消散。

這就帶到後來我寫公司性質時的一個意識：市價的採用是一項相當奢侈的玩意，因為產權的界定、合約的履行等的社會或交易費用不菲。在社會的所有經濟活動中，能通過市價決定勝負的只是一小部分。這也使我一九八一年推斷中國會走的路時，採用的簡單要點，是只要社會或交易費用略為減少，增加了一點以市價為競爭準則的經濟活動，在國民收入的比例上租值消散會大幅下降，經濟增長可以一日千里。當時舒爾茨、貝克爾、弗里德曼等大師不同意我對中國的推斷，我無從向他們解釋我用的是他們不熟識的思想範疇。是的，一九八一年我清楚地看到減低租值消散或減低社會費用的局限轉變在中國開始出現，而又認為這轉變將會持續。

競爭不可以沒有約束

第二點，源於阿爾欽及奈特的思維，是競爭一定要受到約束，我跟着想到毫無約束的競爭必會導致龐大的租值消散，足以導致人類滅亡，因而想到減少租值消散是社會的一般取向。

競爭一定要有約束這個觀點，中國的經驗給我很大的啟發。一九七九年到廣州一行，見到當時盛行的走後門與幹部的等級排列，示範着差距很大的收入享受，讓我耳目一新。我當時的意識，是生下來人的天賦就不平等，在一個廢除私有產權的制度下，人權一定要不平等才可能達到社會的均衡。過了不久，這觀點得到明顯的改進：以人的等級排列權利，是在沒有產權約束競爭的情況下的一個需要的安排，因為可以協助減低人與人之間的競爭帶來的租值消散。中國的經濟改革，基本上是從以等級排列權利轉到以資產排列權利那邊去，租值消散因而下降了。為何會成功地轉換了競爭準則，我在《中國的經濟制度》那小書內有詳盡的解釋。

所有競爭約束可從合約看

最後一點，算全部是我自己的吧：競爭一定要受到約束，而這些約束可以看為合約的安排。私有產權、論資排輩、管制規例、風俗宗教等，皆可以看為廣義的合約安排，因為這些約束是社會中人與人之間需要互相遵守的規則，無論是自願的還是被迫接受的。合約的存在不一定要有市場成交。從合約的角度看約束競爭重要，因為產權的理念往往來得抽象，相比起來，合約的角度是比較直接地帶到什麼可以做什麼不可以做那些方面去。不是說所有競爭的約束都要從合約的角度看，而是說可以這樣看，好些時這角度看得比較快，也比較清晰。

這裡同學們要小心了。產權與交易費用是約束人類行為的局限；合約安排的約束也是局限。後者的變化源於前者的變化。有時我喜歡用前者，有時喜歡用後者，但不能二者一起用，因為是重複了。

一人世界沒有社會。沒有社會不會有人與人之間的競爭，產權的問題因而談不上。沒有社會不會有交易費用，也沒有租值消散。在好些情況下，把社會或交易費用作為租值消散看可以把問題看得清楚一點。另一方面，我們也可以把約束競爭的費用看作制度或交易費用，也即是可以看作是合約安排與監管的費用了。上文說過，合約是為約束競爭而出現的。

本章以《經濟學的缺環》為題，其主旨是說傳統經濟學對合約的漠視，帶來的不幸效果是人類因為競爭而出現的多種行為我們解釋不了。這是新制度經濟學興起之前的困境。今天我們有了長進，雖然我對新制度經濟學的發展很失望。如果同學們能用心細讀《經濟解釋》的前三卷，會察覺到我對市場與生產行為的解釋跟傳統的解釋有很多地方不同。這是因為在寫前三卷的過程中，我不斷地以合約及交易費用的思維來填補傳統的互相矛盾或一片空白的地方。

同學們也會察覺，本卷讀下去有好些題材我是重複再說的。這是同學們的要求。雖然我已經盡己所能寫得淺白，但題材着實不易，按節發表時不少同學認為我用不同的文字再說有助於他們能明白多一點。

結　語

今天不少行內的朋友認為，關於合約的經濟學分析是由我首先推出的。當年老師阿爾欽教競爭與產權的關係，對我影響很大。構思佃農分成時，我從阿師的競爭理念與戴維德的捆綁銷售想到合約結構那方去。沒有結構性的合約，只一個價一個量的市場交易，合約一詞不需要提及。

從結構的角度看合約，我們不難推展到所有在社會中約束人與人之間競爭的制度安排，不僅包括產權制度，就是風俗與倫理皆可看為合約的約束，而約束競爭的費用就是廣義的交易或制度費用了。今天我認為產權的理念過於抽象，要以之推出可以驗證的假說不容易。轉從合約的角度看競爭，推出假說驗證遠為容易。漠視合約的安排因而是一個嚴重的經濟學缺環。

參考文獻

A. Smith, *The Theory of Moral Sentiments*. Edinburgh, 1759.

A. Smith, *An Inquiry into the Nature and Causes of the Wealth of Nations*. W. Strahan and T. Cadell, 1776.

F. H. Knight, "Some Fallacies in the Interpretation of Social Cost," *Quarterly Journal of Economics*, 1924.

F. A. Hayek, "The Use of Knowledge in Society," *American Economic Review*, 1945.

A. A. Alchian, "Uncertainty, Evolution, and Economic Theory," *Journal of Political Economy*, 1950.

H. S. Gordon, "The Economic Theory of a Common-Property Resource: the Fishery," *Journal of Political Economy*, 1954.

R. H. Coase, "The Problem of Social Cost," *Journal of Law & Economics*, 1960.

G. J. Stigler, "The Economics of Information," *Journal of Political Economy*, 1961.

K. J. Arrow, "Economic Welfare and the Allocation of Resources for Invention," *The Rate and Direction of Inventive Activity: Economic and Social Factors*, Princeton University Press, 1962.

A. A. Alchian and W. R. Allen, *University Economics*. Wadsworth Publishing Company, 1964.

H. Demsetz, "The Exchange and Enforcement of Property Rights," *Journal of Law & Economics*, 1964.

S. N. S. Cheung, "Transaction Costs, Risk Aversion, and the Choice of Contractual Arrangements," *Journal of Law & Economics*, 1969.

H. Demsetz, "Information and Efficiency: Another Viewpoint," *Journal of Law & Economics*, 1969.

A. A. Alchian and H. Demsetz, "Production, Information Costs, and Economic Organization," *American Economic Review*, 1972.

J. C. McManus, "The Costs of Alternative Economic Organizations," *Canadian Journal of Economics*, 1975.

O. E. Williamson, *Markets and Hierarchies*. New York: Free Press, 1975.

M. Jensen and W. Mecking, "Theory of the Firm: Managerial Behaviour, Agency Costs and Ownership Structure," *Journal of Financial Economics*, 1976.

B. Klein, R. G. Crawford and A. A. Alchian, "Vertical Integration, Appropriable Rents, and the Competitive Contracting Process," *Journal of Law & Economics*, 1978.

S. N. S. Cheung, *Crude Oil Exchange – the Economics of Secondary Transactions*. Unpublished Manuscript, 1978.

S. N. S. Cheung, *Will China Go Capitalist?* Institute of Economic Affairs, 1982.

J. Hirshleifer, *The Dark Side of the Force: Economic Foundations of Conflict Theory*. Cambridge University Press, 2001.

S. N. S. Cheung, *The Economic System of China*. Hong Kong: Arcadia Press, 2008; Beijing: China CITIC Press, 2009.

假設沒有交易費用是一個失誤,科斯同意,但認為是小錯。當年我也認為是小錯。但經過多年的繼續推敲,這小錯變得愈來愈嚴重,到今天我認為是大錯了。可以說,我從今天有口皆碑的"科斯定律"中學得最多的,不是因為這定律對,而是因為這定律用上一個錯誤的假設。

第二章：科斯定律

"科斯定律"（Coase Theorem）一詞是上世紀七十年代由芝加哥的施蒂格勒起的。今天在中國多稱"定理"，我稱"定律"只是為了讀得比較順口。其實二者皆不是：科斯說他沒有提出什麼 theorem，我也認為沒有。他提出的是一個看世界的角度，嚴格來說是提出了一個條件。施蒂格勒發明 Coase Theorem 一詞後，行內叫得朗朗上口，執到寶，當然不更正了（一笑）。是的，"科斯定律"一詞將會傳世。非常難得，對上一個大名的是十九世紀初期出現的薩伊定律（Say's Law）。

施蒂格勒一九九一年謝世。他曾經對我說，科斯定律是整個二十世紀的經濟學發展中最重要的思維。施兄是古往今來研究經濟思想史最有成就的人，由他高舉當然夠斤兩。我自己可沒有像施兄那樣想，只是當年讀科斯一九六〇年的大文，得到的感受是前所未遇的思想震撼。六十年代初期，從庇古的社會成本與私人成本分離的學說演變出來的"外部性"（externality）分析很熱鬧，老師與同學之間天天說。科斯之見的出現如當頭棒喝，使我覺得那麼多的文章是讀得冤枉了。

科斯是個幸運的人：他完全沒有讀過庇古之後的關於外部性的無數文章。要是讀過他可能想不出他的定律。我也有類同的運情：分析佃農分成之前我完全沒有讀過前人對這題材的分析，只是推出了自己認為是對的佃農理論才追溯前人之見，發覺跟自己的是兩回事。要是讀過我不會想出自己的。可見書讀

47

得多不一定是好事。

第一節：科斯的故事

科斯生於一九一○，認識的朋友一致說他的一舉一動皆合乎英國紳士的禮儀。一九三二年畢業於倫敦經濟學院。因為課程修完早於規定的畢業時間，一九三一年他到美國去，在芝加哥大學旁聽了奈特幾課，不同意，有所悟，寫下了一九三七年發表的《公司的性質》的初稿。這是後來一九九一年他獲諾貝爾經濟學獎時被提到的兩篇文章之一了。

科斯讀很多書，翻閱文件無數，但正規的經濟學論著他背得出來的只三本：馬歇爾的《經濟學原理》、奈特的《風險、不確定與盈利》、Philip Wicksteed 的《政治經濟的普通常識》。從我六十年代初期苦攻的水平衡量，科斯的分析技術差一點。但他出自斯密與英國教育的優良傳統，受訓於今天行內識者無不嚮往的三十年代的倫敦經濟學院，老師與同學皆一時才俊，什麼技術云云是無足輕重的了。

以讀書考試算，科斯沒有拿過學士以上的銜頭。一九五一年要轉到美國任教職，沒有博士不成，他拿幾篇發表了的文章申請 D. Sc. 這個榮譽博士銜，獲取，而為他寫推薦信到美國布法羅大學去的是戴維德。戴維德自己也只有一個學士，但為哈耶克寫過推薦信。這可見西方學術傳統的至高處，跟今天中國的很不一樣。

科斯是我認識的學者中最頑固的人。我可以說服他邏輯上有錯，或這裡那裡要說得清楚一點，但他的思想路向是不能移動的。他沒有興趣的話題，對他說是白費心思。他堅持經濟研究要知道真實世界發生着些什麼事，反對黑板經濟學，而選上了一個題材不走到盡頭他不會罷休。

《公司的性質》之後，科斯的另一篇有名文章是《邊際成本的爭議》，而在英國的日子，他研究的主要是壟斷。奇怪，他選上了廣播行業作為壟斷的研究題材。到美國後，他繼續研究廣播或傳播行業，但從英國的轉到美國的那邊去。這就帶到他一九五九年在《法律經濟學報》發表的《聯邦傳播委員會》那篇我認為是他平生寫得最精彩的文章。

千載難逢的實例

科斯要調查聯邦傳播委員會，因為見到該會控制着整個美國的所有傳播行業，是一家壟斷權力非常龐大的機構，他要問這權力從何而起。找到的答案，是該委員會的前身是一個收音委員會組織，起於美國的東北部——波士頓一帶。二十世紀初期，東北部的漁民出海捕魚，靠收音機與家人聯絡，問天氣、報平安。收音機的音波有頻率，這頻率應該每艘漁船各自不同。但在沒有管制的情況下，不同漁船用同一音波頻率，在空中互相干擾，弄得一團糟。有些好事之徒亂用頻率，傳達假訊息，當然是非管不可的了。科斯問：音波頻率究竟是誰擁有的呢？為什麼不界定為私產然後讓市場決定誰有使用權呢？

科斯一腳踏中一個千載難逢的例子。一個人的行為影響他人，其效果有好有壞，是社會成本與私人成本出現了分離的重要話題，不僅老生常談，而且帶來的無效率需要政府干預之說在經濟學行內大致上是被接受了的。

最有名的例子是庇古提出的一家工廠污染鄰居。鄰居受損是工廠產出的社會成本的一部分，但工廠只算自家的生產成本，不管他人受到的污染。工廠生產的自家成本是私人成本，但社會成本是工廠的私人成本再加鄰居受損的那部分。二者有分離，無效率，政府要多抽工廠的稅，促使其減產，或政府要強迫工廠賠償鄰居的損失。工廠為禍，是壞人；鄰居是無辜的受害者，是好人。大家日常生活的經驗中，類同的例子無數。

一個人的行為給他人帶來良好效果的例子比較少。最有名的是蜜蜂採蜜，替果樹傳播花粉，果實的數量增加，但果園的主人可沒有給養蜂者補償，也無效率，經濟學者之見是政府理應補貼蜜蜂的飼養。園主是壞人，蜂主是好人。其實沒有補償或沒有以市價成交的有良好外部性效果的例子不是那麼少。一個美女招搖過市，大家看得開心，可沒有給她錢。你跟一個有學問的人傾談，學得一點，但沒有給他錢。給錢他會多說幾句，而經濟效率是指給錢之價跟多說一句的邊際成本相等。

回頭說音波頻率在空中互相干擾的例子。我說千載難逢，因為那是唯一的沒有好人壞人之別的實例。我干擾你，你也同時同樣地干擾我，誰對誰錯、誰好誰壞——再不是問題，經濟學者可以容易地客觀地看。科斯因而看到一個問題：工廠污染鄰居，對鄰居有損害，但如果不准工廠污染，豈不是鄰居損害了工廠？究竟是哪方需要負責賠償呢？

泊車損害種植惹來爭議

在《聯邦傳播委員會》一文中，科斯舉出一個惹來大爭議的例子，最後他說的一句話就是足以傳世的科斯定律，奇怪當時沒有誰注意。該例子說：一個人在地上種植，另一個人在該地泊車，是誰損害了誰呢？泊車損害種植，但如果為了種植而不准泊車，則是種植者損害了泊車的人。跟着的推理是：只要土地的使用權利有清楚的界定，種植或泊車哪種用途價值較高，會通過市場的運作決定。科斯於是說：權利界定是市場交易的先決條件（The delineation of rights is an essential prelude to market transactions）。

　　《聯邦》的文稿投到芝大由戴維德主編的《法律經濟學報》，芝大的多位大師一律不同意種植者損害了泊車的人。戴維德於是要求科斯刪除種植與泊車那部分。科斯堅持不刪，說如果有錯，那是有趣的錯，應該刊登。戴維德說不刪改也可以，但刊登後科斯要到芝大講話，回應芝大同事的質疑。科斯的回應，是不公開講話，但可與幾位反對的坐下來研討。

以一對九科斯勝

　　這就帶來一九六〇年的春天在戴維德家中晚餐後的大辯論，在場的人都說應該是經濟學歷史上最精彩的。該辯論有十個人，皆名家也：Martin Bailey, Milton Friedman, Arnold Harberger, Reuben Kessel, Gregg Lewis, John McGee, Lloyd Mints, George Stigler，當然還有 Ronald Coase 與 Aaron Director。（因為十君子我認識其中八位，跟他們談過當晚大辯論的細節，瑞典的一個經濟學諾獎委員曾經要求我提供詳情，據說他們考慮建造一蠟像室描述這辯論。我的困難是 McGee 曾經告訴我，當晚 Harberger 在戴維德的家搬動家具建造畜牧的欄杆，但 Harberger 卻記不起曾經這樣做。）

　　辯論吵了三個小時。起於晚餐後科斯問："工廠污染鄰居，要工廠賠償給鄰居嗎？還是鄰居賠償給工廠要求減產呢？"施蒂格勒的回憶，是吵到中途，弗里德曼站起來開槍亂掃，半個小時後所有的人都倒下，只有科斯還站着。科斯的回憶，是雖然當時自己肯定沒有錯，但米爾頓分析得那麼清晰，他知道自己可以安寢無憂了。這些傳言使一些外人認為科斯定律源自米爾頓的天才。我不同意，因為《聯邦》一文發表在戴維德家中晚餐之前，而科斯定律已清楚地在該文表達了。後來一九九一

年科斯獲諾貝爾獎，發表演説時米爾頓坐在我旁邊。我輕聲地
問米爾頓："這個人應該獲諾獎嗎？"米爾頓指着台上，説：
"他嗎？早應得了。"

　　施蒂格勒認為，當晚沒有錄音是經濟學的大損失。McGee
的回憶，是夜闌人靜，大家離開戴維德的家時，自言自語地説
他們為歷史作了見證。芝大的 Harry Johnson 當時在倫敦，過
了一天他給芝大經濟系一封電報，説："聽説又有一個英國人發
現了新大陸。"十多年後，曾經反對科斯最激烈的 Kessel 對我
説，地球上我們要回到斯密才能找到一個像科斯那樣對市場有
那麼深入感受的人！

　　晚餐辯論後，科斯回到自己的弗吉尼亞大學，動筆寫今天
同學們都知道的《社會成本問題》。説是一九六〇年發表，其
實是一九六一年了。科斯以為要趕印，寫一節寄一節給戴維
德，所以該文讀來每節有明確的獨立性，在連貫上沒有一般文
章那麼一體。後來科斯對我説，他當時不知道戴維德根本不在
乎什麼時候發表，等多長時間也無所謂。當時《法律經濟學報》
有稿酬。我曾經問戴維德："你給科斯那篇文章的稿酬是多少
呢？"他回應："當時校方規定每篇文章的稿酬以頁數算。要不
是這樣，我會把所有的錢給科斯算了。"

第二節：科斯定律的闡釋

　　經濟學者大都認為"科斯定律"源於科斯一九六〇年發表
的《社會成本問題》。可以商榷，因為該定律有三個不同的版
本，而最接近定律或定理的源於科斯一九五九年發表的《聯邦
傳播委員會》一文。

　　最常被引用的科斯定律又稱"不變定律"（Invariance

Theorem），源於一九六○年的大文提出詳盡分析的養牛與種麥的例子。這例子說，有兩塊相連的土地，二者地主不同，一塊用作養牛，另一塊用作種麥。問題出現，因為牛群跑到麥地去吃麥，造成損害，怎麼辦呢？

牛群的行動可用欄杆約束，科斯假設欄杆的建造有費用，但這增加了分析的複雜性，基本上對問題沒有影響。為了簡化，讓我假設建造欄杆的費用是零。

倒轉過來效果一樣

科斯首先假設養牛的人對麥的損害要負責，須以市價賠償麥主的損失。牛吃麥造成損害，但牛肉的產量會增加。如果肉的升值高於麥的損失，牛主樂意賠償，皆大歡喜，讓牛多吃麥去也。不管兩個地主的土地劃分的界線在哪裡，欄杆的建造，會落在牛多吃麥的邊際收益等於麥的邊際損害那個位置。是的，只要在邊際上肉的升值高於麥的損害，肉與麥皆有市價指引，麥主會樂於多種麥給牛吃。

來得震撼是科斯跟着把例子倒轉過來，假設牛群有吃麥的權利，不需要賠償。說震撼是因為得到的結果完全一樣，欄杆會建在同樣的位置——不變是也。牛主有權讓牛吃麥，如果在邊際上麥的損害高於肉的升值，麥主會給牛主錢，以欄杆約束牛群的走動。這欄杆建造之處，還是肉的邊際升值等於麥的邊際損害的那個位置。

結論是，只要權利有清楚的界定，不管界定為誰屬，市場的運作會使欄杆的位置不變，也即是土地的使用不變。當然，界定牛主要賠償麥主，後者會較富有，倒轉過來牛主會較富有。但這是權利誰屬誰較富有的話題，不是土地或資源使用的效率話題。資源使用的效率話題的要點落在權利的界定：只要有界定，市場的運作會帶來同樣的效果，而這效果是不管權利誰屬的。

小題大做與大問題

這不變定律惹來一些人大做文章，說權利誰屬的界定不同導致財富分配有別，資源的使用因而會跟着不同，所以科斯是錯了。這些人說的是小兒科的財富效應（wealth effect），本科有教，科斯當然知道，只是認為屬吹毛求疵，不值一提。何謂財富效應呢？以養牛及種麥這例子看，兩個地主喜歡吃麥或吃肉的取捨不同，哪方較為富有某程度會影響麥與肉的相對市價，欄杆的位置因而會略為不同。也有些人批評科斯的例子是壟斷市場，不是競爭市場。多加麥場與牛場這些人就沒有話說，跟科斯要說的何干哉？

我感到有困擾的，是科斯幾次提到他假設交易費用是零。這是大問題。一九八二年我指出，交易費用是零不會有市場（見《收入與成本》第八章）。這點科斯不僅同意，而且在某書內寫明同意我的看法。他可能沒有想到，這個"同意"帶來的麻煩不僅複雜，而且重要。我寫過，本卷第三章會深入地發揮。

帕累托的新闡釋

科斯定律的第二個闡釋，是權利的界定與市場沒有交易費用的運作會滿足帕累托至善點。這是定義性的，雖然真正的理解不簡單。科斯一九六〇的大文很長，讀者很少注意到從第五節起他引進交易費用的討論。我認為該節及跟着的長篇大論才是科斯對社會成本的主要貢獻。同學們要知道什麼是學問，找該文從第五節讀起吧。

　　説來話長，這裡不説。概括而言，科斯考查法庭檔案，尤其是侵權（tort）案件的例子，示範着那所謂"外部性"帶來的社會成本問題法庭怎樣處理。皆實例，一律有趣：一棟高樓阻擋着鄰近泳池的陽光；一個牙醫操作的聲浪吵着鄰居；沒有出售炸魚及薯條的店子就不是英國，但有人覺得氣味難受……這些例子顯示着侵犯的利益與損害的程度有變化，而在不同的情況下解決糾紛的交易費用不同。法庭的處理往往權衡輕重，考慮到社會整體的利益。

　　德姆塞茨受到科斯分析案例的影響，把交易費用的局限引進帕累托至善點的闡釋，得到的結論是如果交易費用無可避免，無效率之説不能成立。後來我多走一步，指出足以推出假説的局限界定不一定可以滿足帕累托，但如果所有的局限條件都考慮到，違反帕累托是不可能的。無效率的出現因而永遠起於一些與假説無關的局限沒有算進去。這話題我在《收入與成本》的第八章有詳述，本卷第一章第三節再略説了。

　　這第二個角度看科斯定律其實不是什麼定律。科斯一九六〇年的文章的主要內容可不是什麼養牛種麥，而是引進交易費用看問題。無疑是重要貢獻。他一九三七年發表的《公司的性質》也以交易費用為主題，但分析不夠深入，有點套套邏輯的味道，引不起廣泛的注意。該《公司》文章要到一九六九年我發表了《合約的選擇》才再受行內重視。一九三七年科斯二十多歲，對交易費用的處理不到位。《社會成本問題》發表時他五十歲，對交易費用的處理深入多了。

　　這裡順便一提。斯蒂格利茨曾經在一篇文章內批評科斯定律，説科斯漠視交易費用。這使科斯不高興。看來斯蒂格利茨沒有讀過科斯一九六〇年的大文——我認為把"科斯定律"説得朗朗上口的人很少讀過。（斯兄也善忘。他把我《佃農理論》

的第四章翻為方程式，獲得諾貝爾獎，但卻稱讚《佃農理論》
的第三章，後來又稱讚第二章——老是忘記第四章。）

交易定理漠視科斯條件

最後談科斯定律的第三個闡釋。這是他一九五九年發表的
《聯邦傳播委員會》說出的那句話："權利界定是市場交易的先
決條件。"可以看為一個定律，但經濟學早就有一個交易定理
（Theorem of Exchange），由新古典經濟學的幾位大師推得邏
輯井然的。問題是這些大師只是暗地裡假設交易的物品是私
產，沒有言明。更為重要的分離是科斯認為物品的交易不要從
物品本身看，而是要從物品有什麼使用權利及權利誰屬的角度
看。這是說，科斯指出的，是傳統的交易定理忘記了一個重要
的條件：市場交易不是物品交換那麼簡單，而是權利的買賣，
而如果這些權利沒有界定，物品或資產不能在市場成交。

嚴格來說，科斯定律應該稱為科斯條件。很可惜，到今天
經濟學者分析市場通常還是把這條件漠視了。科斯是說，買賣
一個蘋果不要只看一個蘋果，而是要看蘋果的擁有包含着的是
些什麼權利。屬多此一舉嗎？到第三章第二節時我會示範不從
權利的角度看交易會出現很多問題。

科斯的觀點對中國的經濟改革是重要的。上世紀八十年代
初期，我以中語為文對北京的朋友提出一些改革建議，但私產
他們怎樣也不接受。他們可以接受市場，但不接受私產。沒有
私產怎可以有市場呢？我因而推出權利要有界定之說，他們接
受了。

第三節：科斯與我的和而不同處

二〇一三年九月二日科斯謝世，神州哀之。他和我在學術

上的交往，行內的朋友認為特殊，為此我一中一英地寫了兩篇追憶文字。科斯比我年長二十五歲，輩分分明。我從來沒有聽過他的課，互相討論是四十多年前的事了。大家同意而又堅持的是經濟學應走的路：重視真實世界，漠視黑板經濟。一九六八年初我向他解釋分析合約的重要性時，他立刻同意這將會是經濟學最重要的發展。對我來説，那所謂新制度經濟學只不過是從合約的角度看制度。科斯當年同意要這樣發展，可惜今天分析制度的朋友一般不是那樣看。

君子和而不同，對經濟學問的處理科斯和我有三處不一樣，主要是在重點上的。這些分離不是源於各持己見，而是一九六九年我離開芝大後，沒有機會跟他日夕研討，逐步分離，經過了長時日就變為頗大的分離了。一些行內朋友認為要是當年我沒有離開芝大，跟科斯一起研討到今天，經濟學會有另一番景象。

交易費用的貢獻以科斯為首

先説科斯和我不同的第一方面。我認為他在經濟學最大的貢獻是堅持交易費用重要。這些費用的存在不是他首先提出，但他堅持，在幾篇文章裡把交易費用放在中心位置。那是很不容易處理的局限，但科斯有力地示範着因為交易費用的存在重要的現象改變了。

我不認為在引進交易費用而推出驗證假説這方面科斯做得很好。但他開了頭，讓我繼續耕耘，想出了怎樣量度交易費用的轉變，怎樣把交易費用與租值消散畫上等號，很多可以驗證的假説是推出來了。不管怎樣説，我認為以交易費用的轉變來解釋行為或現象——這個在新古典之後的最重要發展——主要的貢獻者是科斯。

假設為零是嚴重錯失

我認為科斯在理論邏輯上的最大錯失，是一九六〇年他在《社會成本問題》一文內提出的今天被稱為"科斯定律"的討論中，假設交易費用是零。該文的重點不是交易費用是零，而是交易費用不是零。然而，他清楚地説：權利有了界定，如果交易費用是零，不管權利誰屬資源使用的效果會是一樣。我在一九八一年寫《中國會走向資本主義的道路嗎?》時指出，如果交易費用真的是零，權利界定根本不需要，有沒有市場資源使用的效果都一樣。這點科斯同意，阿羅也同意。

假設沒有交易費用是一個失誤，科斯同意，但認為是小錯。當年我也認為是小錯。但經過多年的繼續推敲，這小錯變得愈來愈嚴重，到今天我認為是大錯了。可以説，我從今天有口皆碑的"科斯定律"中學得最多的，不是因為這定律對，而是因為這定律用上一個錯誤的假設，所以嚴格來説該定律是錯了。同學們想想吧。沒有任何交易費用不會有市場——不需要有。市場是因為社會有交易費用或較為廣義的制度費用而出現的。（按：科斯謝世前同意他假設交易費用為零是大錯！）

終於想到租值消散

沒有交易費用不會有市場。市場的交易費用是些什麼我們在日常生活中知道不少，加上一般老百姓不熟知的法治費用。另一方面，在經濟學不可或缺的爭取利益極大化的假設或公理下，市場的交易費用一定是在一個指定的情況下，獲取利益需要付出的最低代價。換言之，市場的出現一定是為了減低其他非市場的安排而需要付出的另一些交易或制度費用。

這即是説，無論市場的交易或制度費用有多高，其出現一定是為了減低沒有市場必然會出現的更高的制度費用。這些更高的非市場的交易或制度費用是些什麼呢？我為這個問題想了二十多年，得到的答案是市場的存在減低了沒有市場必然會出現的租值消散。這想法容許我們把交易費用與租值消散畫上等號，雖然我們有時要轉換一下角度才能把這等號看得清楚。另一方面，我曾經指出，市價是唯一的不會導致租值消散的競爭準則。這沒有錯，但促成這準則的採用需要付出交易或制度費用的代價，也即是說資源的租值在某程度是無可避免地消散了。是的，有些問題從交易費用的角度看較為清楚，有些問題從租值消散的角度看較為清楚。世界複雜，但有趣，我喜歡把角度轉來轉去地看世界。

是多麼神奇的世界！參與者要付出那麼龐大的交易或制度費用市場才出現，為的只是要爭取一個不會導致租值消散的競爭準則：市價。是的，界定權利也有費用，是市場交易費用的一部分，為的也是要爭取採用天下獨有的、本身不會導致租值消散的競爭準則：市價。

從無到有變化精彩

交易費用是零不會有市場的含意多而精彩。交易費用是一種局限，而在我信奉的經濟學範疇中沒有局限的指定是不能解釋現象或行為的。經過多年的探討，我得到的結論是交易或制度費用的轉變主要是用於解釋制度或合約的選擇，而資源使用及收入分配的分析應該是基於有了這些選擇才處理。假設交易費用是零，我們無從知道制度或合約會是怎麼樣的一回事。另一方面，我認為馬歇爾的偉大傳統不會因為漠視交易費用而全盤廢了。挽救馬歇爾的市場分析，我們要假設交易費用其實存在，但固定不變，有了市場，然後分析市場引導資源使用及收入分配的效果。當然，這樣的假設不能讓我們解釋不同合約或

不同制度的選擇，加上無數的市場現象我們無從解釋。從推出
假說的角度看，說交易費用存在或不存在一般是說空話，因為
推出假說需要指明交易費用怎樣轉變——即是要說明從甲情況
到乙情況什麼交易費用是怎樣轉變了。

是的，解釋合約或制度的選擇，一律要基於交易或制度費
用這些局限的轉變。一九六九年我發表《合約的選擇》，以風險
規避來解釋分成合約。今天我再不這樣看，轉用訊息費用（也
是交易費用）的變化作解釋。當然，該文提到的卸責、偷懶等
思維更不成氣候，導致博弈理論的捲土重來是悲劇。

利益團體是解釋制度的大麻煩

解釋合約或制度的選擇可不單是為了減低交易或制度費用
那麼簡單。如果不考慮收入分配，這簡單的處理應該對。但利
益團體存在，左右着收入分配，交易費用會容易地上升；分析
的麻煩就變得頭痛了。我認為社會上有好些人，為了自己的一
小點利益，會不顧社會的整體。是的，我愈來愈相信，有一天
人類會因為自私而毀滅自己。自私會減低交易費用，也會提升
交易費用，哪方面勝出是決定人類命運的關鍵了。

利益團體的存在，是解釋社會整體的制度轉變，或解釋政
府政策的採用，遠比解釋市場中的合約選擇困難的原因。制度
與合約是同類的現象，解釋皆要從交易或制度費用的變化入
手，但利益團體往往多而複雜，處理非常困難。好比要解釋為
何農業有分成合約是遠比解釋有工會左右的勞工合約容易的。
如果有幾個不同的利益團體參與合約或制度的選擇，後果如何
是更難推斷了。

解釋或推斷一個國家的制度轉變當然也要從選擇的角度入
手——經濟學沒有其他可取的法門。這個層面的解釋當然困

難，而事後的解釋一般比事前的推斷容易，雖然在原則上二者的方法相同。事後解釋比事前推斷容易，因為追溯有關的局限轉變是遠比事前選擇有關的局限轉變容易。後者我平生只中過一次大獎：只推斷過一次，命中可不是幸運的。

推斷中國絕非僥倖

那是一九八一年我推斷中國會轉走市場經濟的路，肯定的！當時所有行內朋友都反對這推斷，勸我不要發表，有些甚至認為我會為此弄得身敗名裂。我不是個要博取聲名的人，但當時提出的推斷理論那麼完整——同事巴澤爾說半點瑕疵也沒有——而推斷如果不肯定不能被事實推翻，即是沒有假說，所以決定發表，把自己的名字押上去了。

今天回顧，當年我能準確地推斷中國改走市場經濟，原因主要是一個。那是當時的中國只有一個龐大的利益團體：那以等級排列權利的幹部集團。如果當時還有一兩個勢均力敵的利益團體，我不會那麼幸運，想來不會有膽寫什麼推斷中國的文章。今天看，中國的改制及跟着的震撼發展，將會是人類歷史非常重要的一章，而我竟然能在一九八一年推中——連好些細節也推中——免不了有點高傲之情，要誇誇其談一下。

如果同學們能找機會細讀當年我發表的《中國會走向資本主義的道路嗎？》，會發覺寫理論的第三節很完整，而指出局限轉變的第四節是有着足夠的觀察的。同學也會發覺，在該文我提出的制度轉變理論的基礎，主要是科斯一九六○年發表的《社會成本問題》，也即是後人認為是科斯定律的出處。

科斯之錯比他的對重要

科斯當年推出不管資源使用的權利誰屬但要有明確的界

定，是神來之筆，但跟着假設交易費用是零卻是失誤。然而，
上文的分析顯示，我從他的失誤推出的理論或假説的含意卻是
重要的收穫。科斯常説，今天被認為是對的理論，到了明天會
被認為是錯了。我自己的經驗是從科斯錯的地方學得的比他對
的地方為多。這可見思想的重要性不能以對或錯作衡量。科斯
的思想有創意，有深度，而更為重要是與真實世界有關連。這
些是我心目中一個偉大的經濟學者必備的條件，但要這三者合
併才作得準，所以非常罕有。

不久前在為芝加哥寫的科斯頌辭中，我提到交易費用與權
利界定是有着正數的關係，即是説交易費用愈高，愈需要有權
利界定才能達到資源效率使用的效果。巴澤爾讀到，愛之，建
議交易費用與權利界定可能是一個錢幣的兩面。巴兄可能對，
但我不敢同意，因為交易費用是非常複雜的學問。錢幣兩面之
説有趣，可惜是深學問，而巴兄和我皆老了，要讓年輕的同學
想下去吧。

科斯與弗里德曼之爭

轉談科斯與我和而不同的第二方面，是跟科學方法有關
的。上世紀七十年代，科斯與弗里德曼在科學方法上出現了爭
議，我在中間作了一些調解，但問題複雜，而他們互不相讓，
就不多説。

是多年前的往事了。今天依稀記得，弗里德曼在他的一篇
大名的、一九五三年發表的題為《實證經濟學的方法》中，説
了類似如下的一句話：理論是用以推斷還沒有發生的事。科斯
的立場：不知是什麼，經濟理論無從解釋。我認為他們兩個都
對，但彼此不明白對方的意思。

科學方法上有一個"否決前事的謬誤"（fallacy of denying

the antecedence），中學生也應該知道，但可以變得很複雜。說有雨天上一定有雲，含意是沒有雲一定沒有雨。這裡"有雨"是"前事"，說沒有雨一定沒有雲是錯的，稱"否決前事的謬誤"。經濟科學方法的大辯論起於老師阿爾欽一九五○年發表的一篇引用自然淘汰的文章，十分精彩，六十多年後的今天該文還是經濟科學方法最好的作品。阿師的要點是：假設個人爭取利益極大化是否真實無關重要，因為淘汰下來的生存適者是證實着該假設是對的。阿師是說，認為該假設不對所以結果也不對是犯了"否決前事的謬誤"。

"假設"是否需要真實是當年經濟學的大爭議。受到阿爾欽的影響，弗里德曼顯然認為假設不需要真實。然而，一九二四年奈特發表的關於社會成本的文章，卻重視假設的真實性。科斯究竟怎樣看這問題我拿不準，但他受到奈特的影響歷來是明顯的。

局限轉變需要真實

我自己找到假設應否真實的答案，源於哲學大師 Ernest Nagel 一九六三年發表的《經濟理論的假設》。作者指出，經濟學稱為"假設"的有幾種不同的類別，解釋得很清楚。這使我得到如下的結論：如果在實驗室作實驗，指明要用一支清潔的試管，我們不可以用一支不潔的試管而假設是清潔的。

推到經濟理論或假說驗證那邊，我用的主要法門是考查局限的轉變，然後引進需求定律。局限轉變的假設需要是真實的嗎？通常需要的簡化可以看為不真實。這是 Nagel 說的吹毛求疵，正如試管是否清潔可以吹毛求疵地否決。然而，大致上，經濟假說的驗證，局限的轉變是否與實情相符非常重要。換言之，在經濟學的理論假說中，指定的局限轉變，在大致上一定

要是真實的。這是我數十年來的立場。科斯的立場應該與我相
若，只是他出自倫敦經濟學院，對局限的處理沒有我後學三十
年來得那麼一般性。

題材選擇要講戰略

我與科斯和而不同的第三方面，是大家對真實世界的處
理。我絕對同意科斯反對黑板經濟學，重視真實世界。我也絕
對支持他的立場：我們不能解釋我們不知是什麼的行為或現
象。科斯說的真實世界可不是些統計數字或回歸分析，而是行
為或現象究竟是怎麼樣的我們要知道。這裡牽涉到的考查程序
科斯和我沒有兩樣。

我不同意科斯的地方，是認為他花太多時間考查一個題
材，顧及太多無關重要的細節，以致很多他開了頭着手研究的
題材，過了幾十年也寫不出文章。當然，他發表的文章不少，
但他堅持考查實情的題材，往往因為不重要的細節太多而把重
點埋沒了。

我也曾寫過科斯那類文章。一九七九年我發表的關於在租
管下香港戰後樓宇重建的就是。該文考查了好幾年，法庭檔案
數千份，得到的是什麼呢？被譽為最有學問的租金管制研究，
獲得美國一份法律學報的首獎，但除了這些什麼也沒有。如果
科斯當年沒有一腳踏中音波頻率這個罕見的有趣現象，發揮了
他的天才，今天沒有誰會注意到他對經濟學的貢獻。考查當然
重要，細節當然也重要，但我認為不要學科斯的考查方法或我
考查租金管制的方法。我也認為從書籍、文件或檔案找尋資料
不是上選的途徑，因為人為的記錄，經過主觀的判斷，往往與
事實有分離。真實世界是經濟學的實驗室，我們要多到街頭巷
尾跑。

回報率高的研究實例

讓我舉兩個自己經歷過的成功例子吧。第一個例子是一九七二年我在華盛頓州跑農場與果園，調查蜜蜂採蜜與傳播花粉的市場安排，從開始調查到寫好文章寄出去只用了三個月。讀了些關於飼養蜜蜂的書，拜訪了十三家農戶與養蜂者，拿到他們的蜂箱租約與收費數據，用了一個月；整理資料與動筆用了兩個月。今天該文還在不少大學的讀物表上，而時間花了約二十倍的租金管制，給人讚了幾句之後就再沒有誰管了。

第二個例子的回報率更高。那是一九七五年回港度假時，我發覺重要足球賽事的優質座位門票一定先售罄，顯示着優座票價偏低，想到優座先滿可以防止持有劣座票的入場後跳到優座那邊去，因而想到優座票價偏低是為了減少監察跳座行為的方法。我於是跑了三晚香港當時還分幾個座位級別的電影院，視察他們售票處一眼可見的座位銷售情況，見到有炒黃牛的仁兄必上前傾談幾句，寫下了資料數據，回美後只一個週末就把文章寫出來了。合共只用了一個多星期，該文今天還被引用。據說那所謂效率工資理論是從該文得到啟發的。我認為"效率工資"不成氣候，是錯的。

集中零散假說得大場面

到了八十年代初期，我知道研究租金管制、專利租用合約等大題材花去了十年的時間是中了計，再不走那些需要經過千山萬水才能知道有沒有重要收穫的路。我轉向多個題材一起考查，這裡那裡感到可能有可以驗證的假說才入手多找細節。走這樣的路有趣的題材多，而假說往往彼此相連，為個別動筆是太麻煩了。二○○○年我花兩年寫三卷的《經濟解釋》，把多個假說一起放進去。二○○九年起我花四年多重寫《經濟解釋》，變為四卷，文字多了一倍，而可以驗證的假說到處都是。今天再修，變為五卷。無論價格分歧、隔離收費、捆綁銷售、全線逼銷、上頭成本、擠迫效應、玉石定律、履行定律、類聚定律、欺騙定律、四二均衡、倉庫理論，等等，都是傳統經濟學沒有到過的地方，皆有趣，差不多全部牽涉到交易費用！加起來應該近百篇像座位票價或蜜蜂神話那個水平的文章，只是每個題材的處理是比發表學報文章較為簡略了。

　　經濟學是非常有趣的學問，我們要以推出有趣假說的方法從事，考查有趣的觀察，然後試圖把不同的假說以一般性的理論架構集中起來，才有機會變得洋洋大觀。深入的調查當然重要，但我們要看得準，要有很大的把握能得到收穫才走進去，或大興土木。好比二〇〇七年我寫《中國的經濟制度》，大博一手是因為我事前知道會有一篇大文。另一方面，瑣碎的現象與假說的考查及推理，這裡一點那裡一點，到了某一個層面從事者會發覺這些現象與假說有關連，可以一般化，一個大場面的整體可能會冒出來。在自己的感受上，今天的《經濟解釋》有這樣的大場面！

讀科斯要向深處鑽

　　回頭說科斯，他是我知道的唯一的經濟學者，其思想不可以簡化！讀科斯不要向淺處想。他的文字清晰，但有代價：那些試圖淺釋科斯的公司性質或社會成本的言論，一律失之千里。是我之幸，當年讀科斯從第一天起我向深處想，想幾年停一陣，又再向深處鑽。想想停停記不起多少次了。

　　一九七四年我把交易費用與廣義的制度費用畫上等號，後來把制度費用與租值消散畫上等號，因而可把交易費用與租值消散畫上等號。三者的角度略有不同，轉換看問題屢有奇效。

這發展讓我終於推出自己稱為"四二均衡"這個理念，一個完整的、全面引進交易費用的、解釋行為或現象的理論架構於是冒出來了。那是二〇一三年，而我拜讀科斯的論著是一九六二年開始的。我說過，經濟學是老人的學問。

參考文獻

F. H. Knight, *Risk, Uncertainty and Profit*. Houghton Mifflin Company, 1921.

F. H. Knight, "Some Fallacies in the Interpretation of Social Cost," *Quarterly Journal of Economics*, 1924.

R. H. Coase, "The Nature of the Firm," *Economica*, 1937.

R. H. Coase, "The Marginal Cost Controversy," *Economica*, 1946.

M. Friedman, "The Methodology of Positive Economics," *Essays In Positive Economics*, 1953.

R. H. Coase, "The Federal Communications Commission," *Journal of Law & Economics*, 1959.

R. H. Coase, "The Problem of Social Cost," *Journal of Law & Economics*, 1960.

H. Demsetz, "The Exchange and Enforcement of Property Rights," *Journal of Law & Economics*, 1964.

S. N. S. Cheung, *The Theory of Share Tenancy*. University of Chicago Press, 1969.

H. Demsetz, "Information and Efficiency: Another Viewpoint," *Journal of Law & Economics*, 1969.

S. N. S. Cheung, *The Myth of Social Cost*. Institute of Economic Affairs, 1978.

S. N. S. Cheung, *Will China Go Capitalist?* Institute of Economic Affairs, 1982.

S. N. S. Cheung, "On the New Institutional Economics," *Contract Economics*, 1992.

S. N. S. Cheung, "The Transaction Costs Paradigm – 1998 Presidential Address, Western Economic Association," *Economic Inquiry*, 1998.

租值消散不限於有或曾經有的租值的消散，而是包括應該有的租值。約束競爭的方法不同因而得到不同的效果是一層一層的考慮，從倫理風俗到政治制度到市場運作到政府管制——每層都有租值消散的困擾，也即是有交易或制度費用的困擾了。只是作為競爭準則的市價，本身不會導致租值消散。理想的世界不存在。

第三章：租值消散的變化

租值消散（the dissipation of rent）是指有價值的資源，因為人與人之間的競爭，這資源的價值局部或全部消散了。要有人與人之間的競爭才會出現，沒有這競爭不會有租值消散。換言之，一定要有社會才會有租值消散的出現，所以我們可稱之為社會或制度費用，屬廣義的交易費用的其中一種，雖然不一定有交易。我解釋過，不同類別的因為有社會才出現的費用往往無從劃分，綜合為制度或交易費用是一個廣義性的選擇。

明顯地，因為有社會而出現的競爭可以導致資源的價值上升，促成斯密說的國富。斯密沒有說的，是這競爭帶來的租值消散可以帶來國貧，推到盡頭可以減絕人類。我不懷疑有朝一日人類會毀滅自己。這自我毀滅的傾向不要從博弈理論的無從驗證的方法處理，而是要從租值消散那方面看，雖然我的《經濟解釋》不會推到那麼遠。

第一節：交易費用可從租值消散看

作為解釋行為的局限，交易費用的重要性不容易誇張：漠視交易費用經濟學可以解釋的現象不多。令人遺憾是這項局限很難處理。我曾經寫過一句行內朋友認為是經典的話：交易費用這題材不是一個在大學要升職的助理教授應該嘗試的。是真實世界的局限，複雜無比，不作實地考查容易猜錯。當年寫博士論文，老師阿爾欽規勸不要嘗試產權及交易費用那些方面，因為是太難了。我沒有依他。很幸運，《佃農理論》的確是走通了一點，跟着一路走下去，匆匆五十年，不可能沒有增加收穫。

二〇一〇年十一月三十日，我在網上徵求同學意見，説要寫交易費用了，不知分幾部分寫還是一次全面地寫出來。同學們近於一致地希望我一次全面地寫，然後到另一卷時重複再寫。依他們的，我寫了卷二《收入與成本》的第八章，題為《制度的費用》，感到滿意。現在是到了需要重複的時候。不會全部重複，不能毫無新意。我的處理方法，是不參閱該第八章説過什麼，略為轉換角度，以科斯假設交易費用是零的麻煩入手。免不了有重複的地方，但我是個每次細想多多少少有點新意的人。同學們跟不上要找該第八章重溫一下。

科斯的假設出錯

話説一九八一年寫《中國會走向資本主義的道路嗎？》的初稿時，為了在邏輯上要肯定地推斷中國會走的路，我對市場經濟與計劃經濟這二者的運作的交易費用的比較作了深入的思考。過程中突然想到，如果所有交易費用是零，政府的策劃——即是由中央指導生產及分配——會毫無困難地滿足帕累托至善點。我因而想到科斯定律示範着的養牛與種麥的例子，假設交易費用是零是假設了答案，也是多此一舉，因為交易費用是零政府的策劃會容易地滿足帕累托，不需要市場。這也使我意識到經濟學者的市場經濟與計劃經濟之爭只不過是源於暗地裡大家對交易費用的假設不同——只要假設交易費用夠低，計劃經濟的效率優於市場是容易推出來的。

科斯是當時唯一沒有笑我推斷中國會走的路的人——他讀後沉默，是唯一沒有反對我的推斷的。本章第二節提到，他後來白紙黑字地寫下同意我說沒有交易費用不會有市場，也即是同意科斯定律的假設是錯了。一九九一年科斯獲諾獎，我在斯德哥爾摩的一個酒會上遇到阿羅，他很熱情地要跟我研討，為的是要我澄清如果交易費用是零不會有市場之說。阿羅顯然認為新奇有趣，要從原創者的口中證實。酒會人多，不便多談，而我想着的是另一件事：作為百年一見的數學經濟天才，阿羅怎麼有閑情去讀我論中國的小冊子呢？

弗老給我一個位置

一九九八年，作為美國西部經濟學會會長我的講題是《交易費用的範疇》，綜合自己多年的思維發展所得，提出如下幾點：一、不同類別的交易費用往往不能分開，但在邊際的轉變上可以分開，可幸驗證假說我們只要從邊際的轉變看，也一定要在觀察上可以鑑定。二、假說驗證不需要用基數量度交易費用，以序數排列高低足夠。即是說我們只需要排列不同情況的交易費用孰高孰低，不需要管高與低之間的差距比較。三、因為不同類別的交易費用往往分不開，所以要用上一個廣義的闡釋：交易費用包括所有在魯濱遜一人世界不可能出現的費用。一人世界沒有社會，也沒有經濟制度，交易費用於是成為所有因為有社會而出現的費用了——可以稱為制度費用。四、科斯定律說如果權利誰屬有界定與交易費用是零，市場的運作會解決社會成本問題。但交易費用是零不會有市場，而社會問題的解決不僅不需要有市場，就是私有產權也不需要。換言之，市場的出現一定有交易或制度費用的存在。

我把《交易費用的範疇》的文稿寄給幾位朋友先讀，問意見，其中我最重視的是弗里德曼——不是因為他大名，而是他從來沒有在交易費用這話題上動過筆墨，我要知道他怎樣想。

弗老讀得用心，在英語文字上建議一些修改，文章的內容他不僅同意，而且說我有的是一家之言。他在信中寫道："這是你站着的位置，是你的，我明白。"經濟學有人滿之患，要找到自己的位置想來不易。然而，這門學問被搞得一團糟，空出來的位置無數！

夢中想到租值消散

故人已矣！弗老給我一個"位置"的當年，我知道有一個難題還沒有解決。市場的存在不可能沒有交易費用，是些什麼費用做生意的人可以如數家珍。然而，市場的存在不可能是為了增加制度費用——應該是為了減低制度費用。直覺的判斷是這樣，但邏輯不膚淺。這是因地球上出現過很多合約或制度安排是明顯地提升了制度費用的，尤其是牽涉到政府的左右。

我想到兩個原因說市場的出現是為了減低制度費用。其一是人類歷史說，增加費用的制度合約安排不能持久。可以持續幾十年——例如香港的租金管制——但不可以永無止境地存在。另一方面，市場出現在人類有文化之前，不止五千年了，是一種永遠打不死的制度安排。第二個市場會減少制度費用的原因，是決定競爭勝負的無數準則中，市價是唯一不會導致租值消散的。人類追求市場的出現看來是天經地義的行為，雖然財富或收入的分配惹來多種干預——後者要到下一卷寫國家理論時才處理。

市場的出現是為了減少制度費用，這減少了的是什麼費用呢？是個難題，因為大家知道的市場的交易費用包羅萬有，有哪種費用可以減少呢？我要到進入了二十一世紀的一個晚上，才在半睡半醒中（往往這樣）突然想到租值消散是制度費用，可以作為廣義的交易費用看，而市場協助減少的是租值消散。

更上一層樓，看清楚一點，所有交易費用皆可作為租值消散看。

有社會競爭才出現的費用

租值消散是指在沒有約束的競爭下，競爭的人夠多，有價值的資源或物品會因為競爭的費用或成本的提升，或因為資源或物品得不到善用，其價值會因為競爭而下降，原則上可以下降至零。毫無約束的競爭不容易想像，所以在真實世界的社會有價值的資源的租值下降至零的實例絕無僅有，但租值局部消散是說有交易費用，近於全部消散的實例不難找。這裡說的資源不僅包括土地、海洋、礦物，也包括人力與任何有稀缺性質的物品。

租值消散只能在人與人之間競爭的情況下才有機會出現，所以只能在社會才有機會出現。這消散是社會需要付出的代價，所以是成本，也是費用。租值消散與生產本身沒有直接的關係，而在魯濱遜的一人世界不可能有。這些性質與交易費用完全一樣，但沒有交易也可能出現，廣義地稱之為制度費用較為恰當。廣義地看，其他很多交易費用也可以在沒有交易的情況下出現，跟租值消散一樣，只能在社會出現。

三個角度各有勝場

交易費用、制度費用、租值消散是三個不同的角度看社會費用，邏輯及概念上是沒有問題的。這三者看世界的角度略為不同，遇到種種需要解釋的現象好些時我們要轉換角度看。有時同一現象我三者皆嘗試。這樣的替換嘗試比較容易找到解釋世事的答案，而如果三個角度的看法帶來不同的結論，或有衝突，那麼答案是出現了問題，要再考慮。一般而言，以交易費用的角度看市場運作的合約最適當，因為是最直接的。以制度費用的角度看市場之外的問題，例如風俗、宗教、論資排輩等，比較適當，因為這些是一般性的約束，很少牽涉到市場討價還價的行為。租值消散呢？解釋競爭行為最適用，因為市場與非市場的競爭皆可以容易地從租值消散的角度看。

人類的追求與貧富的區別

土地、礦物、樹木、人力等皆資源，由上蒼賜予。這些資源不通過人的腦子發展起來不值錢。資源的升值就是租值，是我從魯賓遜夫人一九三三年的"租值閑話"變化出來的。人類歷史的經驗說，資源的局限條件相近的地方，財富或收入可以有很大的區別。對這怪現象的解釋經濟學不是沒有，而是無數，在人類文化歷史吵了數千年了。本節的討論含意着的解釋，是不同地區對約束競爭的合約安排不同，因而導致不同的租值升幅與租值消散。

租值消散不限於有或曾經有的租值的消散，而是包括應該有的租值。約束競爭的方法不同因而得到不同的效果是一層一層的考慮，從倫理風俗到政治制度到市場運作到政府管制——每層都有租值消散的困擾，也即是有交易或制度費用的困擾了。只是作為競爭準則的市價，本身不會導致租值消散。理想的世界不存在。

人類追求減少租值消散，以市價作為競爭準則是目標，因為這是唯一不會導致租值消散的競爭準則。我說過，市場是奢侈的玩意，不可能沒有可觀的交易費用。這些費用是代價，贏得的是減少了另一些社會或制度費用：租值的消散。

從本卷起，尤其是本章的本節，我較多地以敘述自己思想的發展過程來解釋我要對同學們申述的理論或概念。這是因為從卷一到卷三難讀程度不斷上升——不少同學這樣說。我於是想，加進自己思想的發展過程作解釋，讓同學們知道來龍去脈，可能有點幫助。

第二節：外部性理論的胡鬧與世界的現實

社會成本問題是指社會成本與私人成本有分離的問題，也可從社會產值與私人產值有分離的角度看——二者相同也。撇開庇古與科斯不論，這話題在上世紀五十年代的經濟發展學說興起時，變為外部效應（external effects）的討論和爭議，很熱鬧，而導火線是米德（J. E. Meade）一九五二年發表的關於蜜蜂採蜜與傳播花粉的文章。

這熱鬧有兩個原因。其一是社會的產出或投資會對從事者之外有影響。落後之邦要提升經濟增長速度，政府要鼓勵哪種投資的外部效應是話題。其二是經濟效率：外部效應往往無效率，政府要以補貼或抽稅的方法來改善效率或加速經濟增長。信奉這些理論及政策的國家一律窮到今天。

比較有趣是當年（今天還存在）外部效應分技術外部效應（technological external effects）與金錢外部效應（pecuniary external effects）兩類。前者是指工廠污染鄰居那類——這影響沒有市場處理，沒有價，因而無效率。後者是指某行業擴張或收縮，影響了生產要素之價，因而影響了其他生產的人的成本。違反帕累托的無效率起於前者。科斯的貢獻是指出前者起於權利沒有界定，澄清了什麼技術不技術的混亂思想。

殺手的思維

災難的出現，是六十年代中期起外部效應的分析轉為外部性（externality）的流行發展。外部效應的闡釋本來就有不少問號，外部性是把外部效應再分門別類，術語層出不窮，單是公海捕魚就有好幾種——例如政府規定漁網的孔過大出現了"網孔外部性"（mesh externality）。

我認為外部性的理論胡說八道，一九六九年寫好一九七〇年發表的《合約結構與非私產理論》，手起刀落。該文不易讀有兩個原因。其一是原本分兩篇的，但科斯說合為一篇較好。他是我要發表的學報的編輯，依他的建議。其二是一九六九年我從芝加哥轉到西雅圖去，搬遷瑣事多，沒有機會坐下來多修幾次。本節澄清該文說的第一部分，關於公海捕魚與租值消散的第二部分過後才處理。

雖然我恨不得《合約結構》一文能多易數稿才發表，該文可不是毫無建樹：四十六年後的今天還在美國不少研究院的讀物表出現。讀不懂的有微辭，但說是天才之作的也不乏人（一笑）。楊小凱讀該文後竟然說我是外部性理論的其中一個創始人——他顯然認為殺也是創。

推論如下——同學們要小心跟進。在社會中，每個人的行為會容易地影響他人。這些影響可能有利也可能有害。先談有害的影響吧。從社會的角度看，一個員工在工廠操作，對社會的貢獻是他每天的平均（不是邊際）產出所值減除他每天的工資。然而，受到邊際產量下降定律的影響，工廠內的每個其他員工的邊際產量會因為多了一個人的參與而輕微下降。這些輕微下降加起來是社會的損失。社會的最大利益或帕累托至善點，是在邊際上參進的人對社會的貢獻等於其他員工加起來的損失。

先從一條公路看

第四節我會轉到庇古的兩條公路的討論，這裡先用一條公路來示範一個員工參與操作對社會的利害問題。一條公路，多一輛車參進，假設該車的平均速度是每小時若干公里，其他車輛在略有擠迫的情況下大家的時速會大致相同。這輛參進的車的私人利益是節省了的時間的所值。另一方面，多了這輛車的參進，公路的其他車輛會緩慢了一小點。這些很多的一小點的時間損失加起來的所值是一輛車參進給社會造成的損害。不要忘記參進的那輛也是社會的成員，他贏得的時間節省所值是社會的利益。爭取這公路對社會的貢獻極大化，在邊際上一輛車的參進獲得的利益要與其他車輛每輛的輕微損失加起來的總損失相等。

要怎樣通過市場來達到上述的帕累托均衡呢？有兩方面。其一，界定了公路使用的權利與解決了收費的困難，這公路的使用每公里算要收一個價。有了一個收費之價，所有車輛付同價，每輛車的邊際用值會調校為相同。其二，這個收費之價要安排在公路的總租值達到最高的那一點，稍有差池社會成本與私人成本會出現分離。不要以為只一條公路是壟斷，最高的總租值是壟斷租值。原則上其他競爭或潛在的競爭交通方式無數，每一通道不爭取最高的租值土地資源的使用會出現浪費。

為什麼想到合約結構

轉到外部性的話題，上述的例子提出三個要點。其一，凡有社會必有競爭，而凡有競爭必有外部性的困擾——員工參進影響其他員工，車輛參進影響其他車輛，皆外部性也。其二，說通過市場運作可把外部性"內部化"，滿足帕累托，但要找到最高租值之價談何容易？市場對社會當然有貢獻，但我們只能說在資源使用的競爭下，適者生存會淘汰那些與最高租值有大分離的競爭者。要求毫無分離是烏托邦的思維，而以這分離的或大或小來衡量外部性的存在或不存在屬滿是問號的玩意。其三，把外部性分門別類是分之不盡的。癮君子們既然在公海捕魚提出"網孔外部性"等類別，公路的使用、工廠的運作等我們也可以各有各地大分其類。以老人家的想像力，幾塊錢一類可以賺很多錢。外部性理論是胡鬧的玩意。

想深一層，我們要想到合約結構那方面去。年輕的同學不會知道，三十年前美國租用電話，有一份沒有多少人知道的長達數百頁的租約，什麼顧客可以做什麼不可以做說來真的話長了。每項合約的約束皆外部性的約束。同學們知道的房子租用合約呢？可長可短，而短的一般有不言自明的約束，因為有普通法及其他法律的協助。例如在牆上掛畫容許，但拆牆不成，這些通常不會寫進合約去。不寫進不等於合約結構不存在。合約結構的或明或暗，每一項約束使用的條款都有外部性的問題，沒有每項以價釐定，打起官司很頭痛。這是市場，何完善之有哉？換言之，吹毛求疵地看，任何有或可以有合約結構的市場成交，要分外部性的類別是分之不盡的。

狗吠之聲有市場

經濟學者老是喜歡改進社會，老是認為自己聰明人家愚蠢吧。上世紀七十年代初期，英國的 A. Walters 造訪西雅圖華大（此君後來作撒切爾夫人的顧問，改革了英國），跟我在學校的飯堂進午餐時，另一位也正造訪的經濟教授坐下來共膳。這位不速之客二話不說就批評科斯定律，說狗吠之聲擾人清夢，但從來沒有在市場成交過，科斯是胡說八道。我心中有氣，也二話不說地立刻回應："狗吠之聲天天在龐大的市場成交，作為經濟學教授你怎可以不知道呢？住有花園的房子可以養狗，但住公寓則說明不准，狗吠之價早就算進住所之價或租金之內。"Walters 在旁聽着，大聲叫對。

說過了，市場是奢侈的玩意。我們不能期望每聲狗吠都算價，或聲大聲小用儀器量度然後統計。就是上文提到的公路，車輛互相干擾，要釐定一個公路租值最高之價不容易。理想的市場不存在，而假設交易費用是零不會有市場。這是真實的世界。說這裡那裡需要政府干預的外部性出現是說之不盡的。我們知道的，是因為有眾多的利益團體存在，外部性的言論可以提供藉口，要求政府干預而方便了混水摸魚的行為。這也是真實的世界。

市場與禮儀的分界不明顯

政治不論，人類畢竟要生存，要活得好一點。那所謂外部性只不過是人與人之間的互相影響，無所不在。大家熟知的市場之外，社會的發展重視風俗、宗教、禮儀、倫理——這些是處理在競爭下人與人之間互相影響的局限約束了。可以作為合約的約束看。

一個貌美如花的女人對我嫣然一笑，價值千金，但我不會給她錢那麼沒禮貌，而動手動腳非君子所為也。這些是禮儀。老人家會怎樣回應這裡不說。可以說的是當一個剛會走路的小女孩對我嫣然一笑，有糖果在手我一定給她。這是市場，只是沒有硬性的規定，惹不起官司。這解釋了為什麼小女孩見到我一定笑，顯示着她們對市場的認識比政府高明（一笑）。

過年過節親友之間互送禮物也是一種市場，也沒有硬性規定的市價。收禮者不一定用得着，換來友情上的溫馨是另一種消費者盈餘了。在西方，好些地區的商店，聖誕節過後容許顧客拿禮物去換取其他的，而禮物的包裝一般顯示着物品的來處。於是，互相送禮以市價成交漸趨明顯，但友情所在，風俗使然，這成交價沒有通過洽商。

當今之世——歷史說自古皆然——贈送物品的風俗不一定是為了情感的表達。今天的神州，以"禮物"換取"好處"的行為常有。當然也是市場，但不是明買明賣，可以掩飾着些什麼。

我希望同學們能從這節讀得明白：在有競爭的社會中一個人的行為會影響他人是無可避免的事。不可能沒有利害的衝突。通過市場來解決這衝突是古往今來常見的方法。因為交易或制度費用的存在，市場的形式變化多，而在好些風俗或禮儀的處理下，市價不明確，合約若有若無，稱之為市場在語言上一般人不容易接受。分界不明顯，但我們可以把風俗與禮儀作為市場的替代看。

不管怎樣，動不動說有"外部性"，違反了帕累托，要政府干預，是跟可以解釋行為的經濟學扯不上關係的。真實世界的有趣現象無數，經濟學可以問的是"為什麼"——只此而已。

結語

在社會中，一個人的行為會影響他人。這些影響通常有很多方面，每項算價是算之不盡的。是競爭帶來的衝突，而市場的運作是處理這些衝突的一個方法。有結構性的合約的出現是為了處理在同一交易中牽涉到的不止一項的互相影響。釐定與監管合約的多方面約束的交易費用不菲，好些約束沒有寫進合約，因為社會有普通法或不成文法的協助。此外，社會也有風俗、宗教、禮儀、道德、倫理等，皆合約性質的約束。細心地看，我們不容易說這些眾人認為是非市場的約束不是市場。同學們不要向理想的世界那方面想。

拙作《合約結構》一九七〇年發表後，行內出現了不少關於不完全合約（incomplete contracts）的文章，皆塵下的抄襲。方程式多過文字的分析掩蓋不住這些作者對真實世界的無知。說過了，幾塊錢發明一項"外部性"我可以賺很多錢。

我不認同貝克爾等人以功用函數的分析處理社會的風俗現象，認為他們推出來的假說難以驗證。我也認為在觀察上他們不重視細節，靠數字的回歸統計沒有說服力。我自己的取向是以交易或制度費用的局限變化來處理社會的風俗現象。本節示範了一點，過後分析中國的舊禮教家庭時我會較為深入地示範交易費用對解釋風俗倫理等現象的威力。

第三節：蜜蜂的神話與利他的行為

兩年前楊懷康傳來英國《經濟學人》的讀者欄，內裡提到我一九七三年在《法律經濟學報》發表的《蜜蜂的神話》，那是老人家四十三前的作品，今天在西方的研究院的讀物表中常見，是有點經典的味道了。笑塵埃四十三年非，要是當年我不博大文，集中於寫《蜜蜂》那類小品，每年發表兩三篇不困難，加起來近百篇準經典之作，無敵天下矣。

不是說笑，《蜜蜂的神話》從實地考查到文稿完工只用了三個月。另一篇效果差不多的小品——一九七七年發表的《優座票價為何偏低了？》——考查與寫初稿的時間合共只個多星期。當年認為小品不重要，今天回頭看是錯誤的判斷。可幸多年來我跑街頭巷尾解通了的有趣現象不少，在這次《經濟解釋》重寫的大工程中差不多都搬出來了。是的，今天以中文下筆的每個只用數百字處理的現象，如果多花幾天找細節，坐下來用心處理，發揮一下，把字數增加約二十倍，用不到一個月時間就是一篇像《蜜蜂》或《優座》那個水平的文章。

不管小節難成大文

　　經濟學報很少見到像《蜜蜂》、《優座》那類純為解釋小現象而作的小品。經濟學者對這些看來無足輕重的現象沒有興趣。他們信奉由機構發表的數字，以回歸統計及數學方程式建立學術形象——但現象的細節付之闕如，讀來味同嚼蠟。我的《蜜蜂》文章也用了一些統計方程式，而科斯則說該文用上幾何圖表是美中的缺失。那時我出道不久，對學問的認識沒有今天這麼老到。

　　重視細節是《蜜蜂》一文能流傳到今天的主要原因。有細節讓我們看到變化，變化多可以驗證的假說多，思路容易來去縱橫，這裡驗證那裡驗證，驗個不停，加起來有千鈞之力。當時文稿寫好後，傳了開去，美國最大名的學報的編輯索稿，我說是答應給科斯的。該編輯在來信中要求我取消敘述蜜蜂怎樣養怎樣飛的相當長的第一節，反映着經濟學盛行的品味塵下。今天回顧，沒有該節《蜜蜂》一文不會流傳到今天。

　　同學們想想吧。米德一九五二年發表一篇關於外部效應與市場失靈的文章，舉蜜蜂採蜜與傳播花粉為例，說沒有市場，蜜糖與果實的產量因而下降，於是無效率，需要政府補貼果樹的種植與蜜蜂的飼養。可能因為蜜蜂在花間翻飛着實迷人，這例子立刻走紅，有關的外部效應理論成為經濟發展學說的一塊基石。問題是，花中的蜜漿與蜜蜂傳播花粉的服務在真實世界有市場，蜜漿有價，租用蜜蜂也有價。這對米德提出的外部效應無疑是當頭一棒。要提供確實的證據很容易：美國的農村鄉鎮的電話黃頁指南可以找到。問題是找到證據又怎樣了？米德提出的神話說沒有市場，其實有，算是什麼學問了？

　　這就帶到細節考查的不可或缺，因為可以從細節的變化推出多方面的可以驗證的含意，示範着蜜漿的採集與蜜蜂的服務不僅有市場，不僅有價，而且蜜蜂、蜜漿、花粉等微不足道的資源市場是處理得那麼精細與巧妙，足以令人拍案的。

一個女人電話教我

一九七二年的暑期，我在盛產蘋果的華盛頓州訪問了十三個農戶與養蜂人家，他們合共擁有大約一萬箱蜜蜂。我從他們那裡拿得傳播花粉服務的合約與租用蜜蜂採漿的場地租約，要求他們讓我抄錄他們的收費進賬及租地支出的記錄，也向他們提出了不少問題。他們的協助使我大為感激，後來在文章的第一個註腳他們每個的名字我無一寫漏，一律感謝。最重要的幫忙是一個我沒有見過面的女人。她是一位養蜂者的太太，我跟她通過三次電話。

該女士的幫忙重要，因為我讀了不少關於蜜蜂的讀物，研究了上述的合約與九位養蜂者的解釋，但還有些問題不明白。這是因為一個養蜂者只跟我說自己的生意，自己的專業，不知道或不願意討論為什麼其他養蜂者的處理有不同之處。那位名為 Gerald Weddle 的女士雖然說自己不懂，但知得多，思想清晰，有問必答，解釋了我不明白的地方，而她的解釋全部有我手上拿着的證據支持着。

我考查的細節變化與大自然的因果關係牽涉到如下幾項：天氣的變化導致蜜蜂數量的增減、果熟的先後、蜜漿的盛衰；植物種類不同有蜜漿的存量不同與傳播花粉的需求不同；蜜蜂飛翔的習慣、風力的左右、蜂箱搬運的費用、殺蟲藥物的威脅；農民的護蜂風俗、政府法例的左右、土地產權與地主的性質等。這些考查聽來是大工程，其實不是：幾天工夫可以掌握相當詳盡的資料，只是好些細節難明，要問上文提到的女士。

　　同學們可以想像，有了上述的變化資料，採集蜜漿與傳播花粉服務的價格變動不難推出，驗證也容易，而最有趣是蜂採蜜時一起傳播花粉。後者的服務之價當然要依蜜漿的多少而調整了。

　　一個例子可以說明上述的女士給我的提點重要。植物如苜蓿盛產蜜漿，也需要傳播花粉，但同樣的苜蓿，蜂箱租用之價有很大的差別。我百思不得其解。女士的解釋，是苜蓿的培植有時是為了養牛，有時是為了結籽，而為後者蜜蜂所獲的蜜漿甚少。只為養牛不結籽，傳播花粉的服務沒有價值，但苜蓿蜜漿多，蜂主要給農民錢把蜂箱放進農場去。

利他的理論

　　不難推論，如果一箱純為傳播花粉服務的蜜蜂的租用市值是十元，而該箱預期的蜜漿收穫也剛好值十元，租用蜜蜂服務是不用付費的。當年我跟着想到，如果一個果園主人租用蜜蜂服務，其蜂箱數量準確地調校為每箱的租金等於預期的果實的邊際產量增加的所值，滿足了傳統漠視交易費用的帕累托條件，但其中有些蜜蜂無可避免地飛到隔鄰的果園去，為隔鄰做了傳播花粉的服務。蜜蜂不請自來，隔鄰的園主可沒有付費，傳統的帕累托觀會怎樣看呢？這是有趣的免費"利他"的行為或現象了。

　　我想到的答案有點新意，把同事巴澤爾嚇了一跳。這答案是：如果甲果園租用蜂箱的數量滿足了帕累托，蜜蜂亂飛到乙果園去利他，乙不付費，只要乙果園的果實收穫增加能因而達到最高點——即是乙果園的邊際產量剛好下降至零——帕累托條件會一起地滿足了。這裡同學們可以假設乙果園的果樹品種跟甲果園的不同，前者不需要很多的花粉傳播服務。

　　我跟着提出了一個鋼琴好手在家中彈琴的例子。好手彈得悅耳，琴聲傳到鄰居去，後者免費欣賞，共享鄰居之樂。這裡的問題是琴手每天彈琴的考慮，是自己在邊際上的享受與自己的時間在邊際上的成本。二者相等他不會再多彈。假設他的選擇是每天彈三個小時。免費地給鄰居聽怎樣看了？答案是：鄰居雖然喜愛音樂，但聽得太多會討厭。如果鄰居的最高享受——琴聲給他的邊際利益達到零——的時間長短剛好也是三個小時，一分錢不給鄰居的琴手也剛好滿足了帕累托！這是因為付錢與否，聽琴者的最佳選擇是鄰居琴手彈三個小時。

　　這個利他不收費能滿足帕累托至善點的情況顯然有趣。一九七二年的秋天我寫好了一篇文稿（見《張五常英語論文選》第十二篇），當時沒有發表是因為寫好後才察覺到，一九六二年 J. Buchanan 與 W. C. Stubblebine 發表了一篇文章指出同樣的情況，而過了幾個星期 A. Harberger 造訪西雅圖，讀到我的文稿，說他也有一篇文章說過同樣的話。英雄所見，何其略同也。

當年擱置這裡發揮

　　沒有發表，但當時的打算是把該論點發揮到真實世界的現象去，多表演一下才發表。文稿擱置下來後，轉到研究其他題材，忘記了再回頭。後來出版《英語論文選》時從一位舊同事那裡找回該稿，一字不改地放了進去。

　　我當年打算怎樣發揮呢？首先是從上節提到的英國 A. Walters 對我說的一件事。他是研究建造新機場的，對我說一個新機場的建造，其鄰近的地產物業之價一定上升，反對建機場的吵鬧一般是為了索取多點補償。想想吧，飛機升降的噪音很難受，單看這不良影響機場鄰近的物業之價不能不下降。另一

方面，機場帶來不少商機與就業，鄰近物業之價會被帶起。一
落一上，二者相加的效果是機場導致鄰近的物業之價上升。跟
蜜蜂亂飛與琴音傳達鄰居一樣，如果機場的建造導致有聯繫的
物業之價升到頂峰，不需要任何干預，傳統的帕累托條件是達
到了。近於無從估計，因為飛機飛到很遠的地方，一個新機場
建造帶來的利與害，或大或小波及整個地球，而這邊廂商機提
升，那邊廂商機可能因而下降了。

　　我們不能只要機場帶來的商機與就業而推卻飛機升降產出
的噪音。伸展開來，在社會中，不止一個人的行為會有外部效
應，不止這些效應對外人可能有利或有害，而最普遍的情況是
像建機場那樣，利與害二者皆出現。我們不能只取其利而否決
其害。正確的處理是利與害合併在一起考慮。羊毛出在羊身
上，要是羊毛不能先剪下，要肉不要毛我們也要整隻羊算價。

　　所謂"外部性"是社會無所不在的現象，有關理論的胡鬧
我說過了。日常生活中我們交朋友，每個都給我們帶來利與害
的影響。我看人家，人家也看我；交朋友只求利、不要害，你
會是個很孤獨的人。絕大部分的人類行為是沒有通過明顯的市
場處理的。利與害的外部效應互相捆綁着，二者大致打平沒有
市場也近於滿足着帕累托，而二者捆綁帶來的外部利益上升愈
高對社會愈有利。這解釋了為什麼那麼多的對他人有影響的行
為沒有通過大家熟知的市場，而加進可以看為準市場的風俗、
宗教、禮儀等約束，人類的生活會逐步改進。只是利益團體與
政治的存在，人類自發性的"自己生存也讓他人生存"的意向
受到左右。

　　回頭說工廠污染鄰居，像機場那樣，工廠的存在也給鄰居
帶來就業與商機。政治不論，利益團體不談，本章說的經濟邏
輯直指市場的安排會把有污染的工廠放在適當的地方，不需要

政府或環保團體的左右。一個上佳的住宅地區，工廠不會出得起價在那裡買地。原則上，考慮到上文說的利與害的外部效應合併出現的情況，帕累托條件的要求是一個地區的總地價能達到最高點。需要的是權利有界定，而這是回到科斯之見了。說需要政府策劃、左管右管，只不過是利益團體的操作，而政府官員也是一個利益團體。

我從來沒有說過不需要政府管治，也沒有說過不需要政府策劃。沒有利益團體的左右，政府的策劃一般是順着市場的取向。這觀點是從中國經濟改革的發展學得的。在拙作《中國的經濟制度》可見，新《勞動合同法》推出與北京調控失當之前，中國的縣際競爭制度發展得最好的那段時期（我看是一九九四至二〇〇七）是有說服力的例子。一個縣政府有決定土地用途的權力，他們當然有策劃。然而，無論一塊地策劃着的用途是什麼，只要投資的人能說服管治者有較佳的用途，能給整區帶來較高的收入，原定的策劃可以更改。重點是縣際競爭壓制着利益團體的湧現。

最後我要提及一所加州大學分校的例子。美國加州南部有一所加大分校，五十多年前建在一個荒蕪地帶。這是源於一個大地主把最上選的那部分免費捐出，要求大學光臨。大學建成後，該地主還擁有的在鄰近的土地之價值急升，發了達。中國的成語說是拋磚引玉，本節的分析說是購買外部效應。

第四節：租值消散理論的起源與失誤

租值消散是指競爭使用資源導致資源的價值下降或消失了。是嚴重的問題：新古典的傳統說競爭使用資源會導致資源的價值上升，怎麼一下子倒轉過來了？我們今天看是競爭的約束出現了問題，也就是合約的安排出現了問題。雖然租值消散的意識起自新古典，但這傳統可沒有開門見山地從約束競爭或合約安排的角度看。

　　我可能是經濟學者中最喜歡提及租值消散的人，或者說有關的理念我最常用。這習慣源於一九六六年寫《佃農理論》的初稿時，我開始察覺到一個規律，後來把這規律清晰地一般化：任何經濟分析，如果在邊際上有應該消散的租值存在，但這租值沒有消散，該分析一定錯——沒有應該消散的租值不一定對，但有則一定錯。

老人家發明的一般均衡

　　我可以明確地指出這規律的出處。那是一九六九年出版的《佃農理論》第四十三頁的一個幾何圖表中的 MEA 那個三角面積，應該消散但沒有消散。那是馬歇爾一八九〇年的錯失，他自己可沒有注意到。馬氏當時沒有畫出圖表，一九六六年我跟蹤他的幾個註腳畫出，肯定該面積是應該消散的租值，但沒有消散，所以肯定傳統的佃農分析是錯了。《佃農理論》的原作今天在中國內地再版了，該"三角"還在那第四十三頁。同學們找來細讀，會察覺只要能一腳踏中，理論的重要突破可以是很容易的事。

　　凡有應該消散的租值存在的理論一定錯這個理念，後來成為我自己常用的一般均衡：考慮一個有解釋力的假說時，我例行地衡量所有與該假說有關的局限，看看這裡那裡還有沒有應該消散的租值存在。不是嚴謹的推理方法，但容易用，推得快——經濟邏輯有錯可以很快地知道，雖然邏輯對不等於理論假說也對。當年的一些同事感到奇怪為什麼我可以那麼快就指出理論上的錯失。我不是個喜歡秘技自珍的人，但要懂得怎樣從租值消散的角度衡量一般均衡可以是複雜的學問。常用、熟習，可以用得快——快若閃電也。

原則是簡單的。租值消散是指在社會中，無主的收入會在競爭下消失——除非有某些特殊的局限保護着競爭者。這些所謂特殊的局限千變萬化，經過多年我也不能分門別類，而又因為有這些特殊局限的存在，租值全部消散很困難。在本節及跟着的三節我會詳加示範。其中最困難是價格管制與租值消散的關係：那是我嘗試過的最困難的分析了。

這裡要順便一提。經濟學的一般均衡理念源自瓦爾拉斯的方程式，芝加哥的奈特、弗里德曼與施蒂格勒認為這些方程式沒有經濟內容，而弗里德曼在他一九四九年發表的《馬歇爾的需求曲線》提出了他的有經濟內容的一般均衡理念。我在這裡提出的從租值消散的角度看一般均衡則全部是經濟內容，沒有其他。

庇古與奈特之爭

讓我從頭說起，回顧租值消散的發展過程的大略，尤其是我自己在這話題上的思想發展。細說一個思想範疇的來龍去脈對同學們的理解有助。

"租值消散"（dissipation of rent）一詞起自戈登（H. Scott Gordon）一九五四年發表的一篇關於公海捕魚的文章，但有關的思維則源於馬歇爾高舉的 von Thünen（1783-1850）。把這思維發揚起來的是庇古（A. C. Pigou）——此君是馬歇爾的學生，也是在劍橋承繼馬氏的經濟講座教授的人。庇古多產，最重要的論著是一九二〇年出版的《福利經濟學》，整本厚厚的書是關於社會成本與私人成本出現分離及政府應該怎樣補救。一九六八年在芝加哥我研讀庇古，認為此君對事實的考查不及格，分析力中等，但想像力有過人之處。

　　庇古在一九二〇年的《福利經濟學》的初版中提出了有名而且重要的兩條公路的例子。兩條公路，一佳一劣，皆從甲市到乙市。佳路狹窄，劣路寬闊。汽車選走車速較快的佳路，但車多了，互相擠迫，你損害我，我損害你，一輛車的私人時間成本因而低於自己的時間成本加上阻慢他人駕駛時間的社會成本。

　　讓我們簡化，只管駕駛時間，不管路面是否舒適。劣路寬闊，永遠不出現擁擠，但因為路面比較差，車行得比較慢。容易推斷，佳路的車輛擁擠到某一點，一些車輛會轉到永遠不擁擠的劣路去。均衡點是佳路與劣路的車行時間相同。

　　這裡的問題是如果佳路沒有擁擠，車會行得較快，時間的節省是社會的利益，也可看為社會的成本下降了。既然劣路永遠不會出現擁擠，把一部分車輛從佳路趕去劣路那邊，被趕去的不會受損，因為佳路有足夠的擁擠其駕駛時間跟劣路一樣，但餘下來還用佳路的節省了時間，社會整體因而得益。庇古於是建議，政府要抽一個使用佳路的稅，這稅收可以大家分享，但佳路因為需要付使用稅，擁擠減少，社會整體因而得益。庇古可沒有算出，但這佳路的使用稅應該為何我在本章第四節分析過了。

　　一九二四年，芝加哥的奈特（F. H. Knight）發表了一篇石破天驚的文章，題為《社會成本闡釋的一些謬誤》，直斥庇古之非。他說庇古的推理邏輯沒有錯，但嚴重的失誤是庇古假設較佳的公路不是私有財產。如果該路是私產，路主會收公路使用費，而此費也，會與庇古提出的理想稅收完全一樣。換言之，奈特是說庇古吠錯了樹。私產的存在可以解決社會成本與私人成本分離這個難題是奈特首先提出的。這是早於科斯三十六年了。

　　一九二四是我出生前十一年，但我有幸認識奈特，有機會向他表達仰慕與感激之辭。奈特的文章歷來不易讀。我不認為他對文字的操控不足，而是他想得深。想得深入要付代價。奈特在《謬誤》一文內堅持“假設”要與事實相符是首要的分析經濟問題的關鍵，驟眼看是違反了科學方法，其實他說的“假設”是指局限條件，這深深地影響了我走的經濟解釋的方法與路向。如果同學翻閱《維基百科》寫奈特那一條，會見到其中說奈特影響了五個經濟學者：弗里德曼、科斯、布坎南、施蒂格勒、張五常。

　　庇古沒有回應奈特指出的謬誤，只是把兩條公路的例子在《福利經濟學》的再版中刪除。很可惜，產權問題因而吵不起來。科斯三十六年後發表的《社會成本問題》的論點重心與奈特說的一樣，但科斯提出以權利界定的角度看私產是重要的貢獻，而把交易費用放進討論的中心位置是更重要的貢獻了。令人費解的是一九五四年戈登分析租值消散時沒有提到奈特。他把奈特的兩條公路改為兩個公海漁場：幾何圖表一樣，戈登只是把奈特的平均與邊際成本曲線對着鏡子看，轉九十度，變為平均與邊際產量曲線。戈登是應該提到奈特的，雖然他的公海捕魚文章的本身也是重要貢獻。

租值全部消散是難題

　　這裡有一個沒有人注意的重要問題。雖然他們沒有說，庇古與奈特的分析，兩條公路，一佳一劣，佳路應有的租值——收取使用費帶來的租值——因為不收費，在競爭使用下是全部消散了。庇古說抽稅可以挽救，奈特說如果佳路是私產路主會收費，因而有租值。如果佳路不是私產，沒有業主，沒有人收取使用費，政府不抽稅，佳路的競爭使用沒有約束，其租值會

在競爭下全部消散了。這傳統之見行內接受了好些年，一九七
〇年我在本章第二節提到的《合約結構》一文中提出異議。

　　我同意在上述的兩條公路的例子中，佳路的租值在競爭使
用下可以全部消散。但那是為什麼呢？是不淺的智商測驗，同
學們可以不讀下去而猜中嗎？

　　佳路的租值全部消散不是因為沒有人收費或收租，而是因
為劣路永遠沒有擠迫，也即是說劣路不是一種有稀缺性的資
產。有幾個可能，都有趣。讓我假設使用公路的人是為了工作
產出，所以使用公路的行為由邊際產量曲線決定。其實用需求
曲線分析也一樣，但用邊際產量比較容易看租值，也可以直接
地帶到下節公海捕魚的分析去。考慮如下三個可能吧。

全部消散的條件

　　一、劣路雖然行車比較慢，但永遠不擁擠，每個使用者沒
有受到邊際產量下降定律的約束，邊際產量曲線是平線，平均
產量曲線是同一平線。同學們可以想像一塊無限大的土地，質
量到處一樣，地點遠近毫無影響，放多少人去耕耘每個的邊際
產量是不會下降的。

　　現在較佳的公路就在旁邊，不擁擠或擁擠不夠嚴重，車行
的速度較快，沒有一輛車會轉到劣路去。擁擠在佳路出現，到
了某一點一些車輛會轉用劣路。我們假設使用者只考慮行車的
時間速度，不管舒適不舒適，兩條公路的車速會相同。這樣，
較佳公路的邊際與平均產量曲線也是平線：佳路多一輛車減慢
車速，會有一輛轉到劣路去。

　　結論是：劣路的租值永遠是零；佳路呢？因為擁擠過甚而
劣路永不擁擠，佳路的邊際產量曲線被劣路拉為平線，這平線

之上的租值也是零。原則上佳路可以有租值，但在競爭使用下
會全部消散了。這不僅因為佳路非私產，沒有主人收取路費，
不僅需要佳路有足夠的擁擠，還需要的是劣路的存在把佳路的
邊際產量曲線拉平了。這是佳路的租值全部消散的情況。

邊際產量下降的真諦

　　同學們要注意，你們學的邊際產量下降定律是說一種生產
要素之量不變而另一種之量變。這沒有錯，但因為不夠形象化
推理時想像力不會發揮得好。我喜歡從擁擠或擠迫那方面想。
好比一條公路，只一條，其"量"不變，出現擁擠，車輛增加
邊際產量（車速）下降，不擁擠邊際產量是不會下降的。公路
之"量"應該怎樣算呢？應該算每輛車行走中前面空出來的
路。看整條路容易想錯。公路毫無擁擠，等於公路之"量"自
由變動，邊際產量（車速）不會因為車輛的增加而下降。

　　死記硬背老師或課本教的容易想錯。經濟學要把理論及概
念用出變化才有作為。記得四歲時跟五歲多的哥哥一起在香港
讀小學一年級，老師問：十個人建一小房子需要十天，二十個
人要五天，一百個人要多少天？他問來問去我也說不知道，怎
樣解釋我也不接受。老師對母親說我生得蠢。究竟是誰蠢呢？
邊際產量下降不是因為房子的大小不變，而是因為人多出現了
擁擠。

不消散的經濟觀

　　二、如果較佳的公路毫無擁擠，不收費，不會有任何車輛
使用劣路。然而，使用佳路的車輛是賺取着租值的。毫無擁
擠，佳路的每個使用者的邊際與平均產量曲線也是平線，而這
平線的高低，不同的使用者不一定相同。每個使用佳路者賺取
的租值是佳路與劣路的時間節省所值的差距，而每個賺取的租

值不一定相同。這是沒有租值消散的情況。

這裡的問題是只要佳路毫不擁擠，多加一輛車的邊際社會成本是零。如果收取費用，不管由誰收取，使用該路的車輛會減少。這是社會的浪費，應該是霍特林、薩繆爾森、阿羅等人認為共用品不應該收費的原因，不無道理，但他們的分析跟這裡提出的有別，不夠說服力。另一個問題出現：不收費，佳路由誰出錢建造呢？說由政府出錢建造然後不收費，那麼社會的資源使用是憑什麼準則決定呢？再者，如果佳路建好後出現擁擠，不收費庇古又有話可說了——會說要抽稅。

結論是：佳路不擁擠不會出現租值消散；擁擠出現，不收費，到了某一點租值消散開始出現，而租值全部消散需要佳路擁擠到多一輛車必定會有另一輛轉用劣路，以致佳路與劣路的每個使用者的平均與邊際產量曲線皆平線，駕駛的時速大家一樣。要注意，不同使用者的時間價值不一樣，所以有些使用者會賺取歸屬租值（imputed rent），但擁擠過甚佳路本身的租值會全部消散。

局部消散變化多

三、如果只有一條公路，不管優劣，租值全部消散就近於不可能了。沒有另一條較劣的毫無租值可言的公路在旁邊，只一條公路，有擁擠，每個使用者的邊際產量曲線是向右下傾斜的。這樣，就算該路沒有主人，不收費，車輛擁擠到沒有多一輛車願意參進，該路當然有租值消散，但不會全部消散。同學們可以證出來嗎？

租值局部消散是很麻煩的學問，因為變化多。然而，正因為變化多，可以推出來的假說及解釋的現象也多。租值消散理論的解釋用場很廣及，尤其是參與的競爭者有意圖減低租值的

消散。我不認為租值消散是不可或缺的經濟理論，但它提供了
另一個角度看問題，也是另一條可以走得相當遠的通道。

第五節：公海漁業、私產替代、利益團體

讓我們回到《收入與成本》第八章第四節提到的 A.
Bottomley 一九六三年發表的僅兩頁紙的關於非洲的黎波里塔
尼亞的草原的文章。該文的主旨說那裡的草原本來宜於種植價
值不菲的杏仁樹，但因為草原非私產，用作畜牧，土地使用的
價值下降了。雖然作者沒有從租值消散的角度分析，我們可以
看為草原應有的租值，因為競爭畜牧而出現某程度的消散。
一九七○年我在《合約結構》一文中提出解釋：草原非私產，
沒有地主建造欄杆，植樹會給牛羊吃掉，但畜牧可以在晚上把
牛羊趕回家。

我不相信的黎波里塔尼亞的公有草原是任何國民皆可自由
畜牧。我相信一定有某些約束規限着牛羊或畜牧者的數量。為
什麼這樣想本節過後會解釋。然而，草原既非私產，競爭使用
會導致某程度的租值消散。

可以有租值較高用途的資源，因為沒有足夠的權利界定，
要轉到租值較低的用途，是租值消散。不難想像，好些原則上
是有租值的資源，在沒有私產保護的情況下遭到棄置或荒廢
了。這當然也是租值消散。

戈登的重要啟發

這就帶到戈登一九五四年發表的《公共財產資源的經濟理
論：漁業》。儘管我認為戈登應該提到奈特，儘管在下文我會
指出他的分析有嚴重錯失，戈登的《漁業》是重要文章——絕
對是。一九六二年我拜讀，戈登說的一言驚醒夢中人：資源沒

有私產權利的維護，競爭使用帶來的成本上升侵蝕了資源的租值。這不是兩條公路的例子說的社會與私人成本出現了分離，不是畜牧取代了杏仁樹，也不是資源被棄置，而是因為產出的總成本上升了。

租值消散無疑可以在幾方面出現，但成本的上升使我當年看到一個新方向。例如在價格管制下顧客需要排隊輪購，排隊的時間是成本，物品的所值因而被這時間成本局部取代了。當然也是租值消散。從這思路推下去，幾年後我想到市價是唯一不會導致租值消散的競爭準則，價格管制的均衡分析因而有了一個新的理念。這是後話。

我希望同學們能從老人家當年求學的經驗中知道，有些文章說得天花亂墜其實沒有什麼內容；另一些有錯，但其中提出一點可以給求學的很大的啟發。戈登的《漁業》是鴻文，有學問，只是一個“明顯”地對的重點是錯了，一九六八年我為之作了修正，初時以為無足輕重，但跟着推出的含意卻重要。

明顯的對可以錯

戈登的明顯是對的分析，說公海漁場不是私產，沒有業主，沒有人收租，捕魚者的參與於是像庇古的佳路那樣，擁擠過甚，導致捕魚的總成本等於漁獲的總產值，以致公海漁場的租值被捕魚的成本替代，全部消散了。驟眼看這結論顯然對：假設捕釣的成本只是工資，如果海洋屬私產，漁場的主人聘請員工捕魚，會約束在工資等於邊際產值那一點，平均產值在上頭，高於工資那部分乘以員工總數就是海洋漁業的租值了；但現在海洋屬公有，任何人皆可以隨意捕釣，沒有人收租，在競爭下，均衡點是平均產值等於平均工資，所以租值全部消散了。這是直覺與普通常識的判斷。

　　戈登顯然知道要推出漁獲的總值等於總工資（或總成本）這個均衡不容易，因為他用上兩個捕釣的海洋場地，像庇古與奈特兩條公路之爭那樣，也是一個較佳另一個較劣的。困難是戈登畫出的兩個漁場的平均與邊際產值的曲線皆向右下傾斜。劣場的邊際產值不是平線，租值怎可以全部消散呢？在這個難題上戈登說了如下的話：兩個捕釣的漁場，一優一劣，當一艘漁船從港口出發，從這兩個漁場中選取其一時，會考慮的是平均產值，不是邊際產值。這句話我讀不懂，因為船主要帶多少人手要考慮的，是邊際產值而不是平均產值。

溫哥華的研討會議

　　一九六八年，在芝大，我受邀請參加加拿大溫哥華六九年初舉辦的一個漁業經濟研討會議。芝大的科斯與 A. Zellner 也受邀請。我獲邀是因為《佃農理論》的第一篇文章發表了，而漁業常用分成合約。科斯獲邀因為他是產權大師。Zellner 呢？此君當時是統計經濟學的天下第一把手，曾經花了好一段時間研究及發表了一篇很長的關於漁業經濟之作。

　　為了應酬上述的邀請，我再讀戈登，想到的新意有點怪：公海捕魚要漁場租值全部消散，捕釣機構的數量要達到無限多！我寫下短短的幾頁紙，用自己發明的方程式與幾何證出這"無限"之見。以為會闖禍，殊不知會議輪到我發言時，在座的 Zellner 叫出聲來。他說曾經和一位同事研討了好些時日，也不明白為什麼工資會等於平均產值，今天終於有人破案了。我回應說本來以為是自己的偉大發明，後來發覺是百多年前法國古諾（A. A. Cournot）分析雙頭競爭的延伸，我只是把古諾的產品市場改為生產要素市場，又把"雙頭"推到"無限頭"才找到租值是零的均衡。會議後我把那幾頁紙加長十倍，寫成後來發表的《合約結構與非私產理論》。

人數無限的均衡

分析如下，同學們要用心了。假設有若干私營機構以捕魚為業。海洋某地有海魚集中的漁場一個。假設捕釣的生產要素單位是一艘漁艇加一個固定的人手量，單位之間的生產力相同，其艇租、工資也相同。先假設只一家機構從事捕釣，其平均與邊際產值曲線皆向右下傾斜，前者在後者之上。這家機構，稱甲機構，僱用的捕釣單位之量是邊際產值等於邊際成本。假設生產單位的邊際成本是平線，所以平均成本也是平線——即是假設工資與艇租不會因為產量的變動而變。這樣，因為平均產值是高於平均成本，總產值減除總成本就是該漁場授予甲機構的最高漁場租值了。這也是漁場屬私產的租值收入。

按理推下去，如果這海洋漁場屬私產，不管有多少家機構參與捕釣，漁場的業主會約束着捕釣單位的數量，不會容許邊際成本與邊際漁獲所值出現分離，因為業主要收取的是最高的漁場租值。換言之，最高的租值是邊際成本與邊際產值相等，機構的數量增加會被漁場業主收租約束着。

現在情況變了：漁場沒有業主，沒有人收租。只一家機構如上述，平均產值高於平均成本，租值進賬可觀。但沒有業主，任何人可以隨意捕釣，乙機構見甲的平均產值高於自己的平均成本，會參進。乙的邊際產值曲線起於他見到的甲的平均產值，然後向右下傾斜。只要乙的邊際產值高於他的邊際成本，他會增產，而其生產要素單位的數量也要達到邊際產值與邊際成本相等的均衡。

問題又來了。因為乙的參進，原來甲投入的生產單位之量變為過多，使甲的邊際產值低於邊際成本，所以甲會收縮減產。甲的減產會使乙的邊際產值上升，導致乙會增產。互相調整之後，大家的收入與產量一樣，邊際產值與邊際成本也大家一樣。再者，甲、乙二者皆賺取一點漁場租值，雖然這兩個租值相加的總和是低於只一家機構或者有業主收租的情況。

　　漁場租值的全部消散，需要生產要素的總收入達到平均產值等於平均成本那一點。現在的情況是甲、乙兩家皆獲取一部分漁場租值，各自按自己的邊際產值等於邊際成本的均衡從事，但丙機構見到邊際產值高於自己的邊際成本，會參進競爭。丙的參進會導致甲與乙的邊際產值下降，二者會縮減投入，丙會增加投入，直至三者的邊際產值相等……三者各自分享一點漁場租值，但漁場的總租值再會下降。公海漁場的租值全部消散——平均產值等於平均成本——需要有無限數量的機構，每機構的投入無限的小。只有這樣才可以守住經濟學的基礎定理：每個生產者爭取利益極大化需要各自的邊際成本等於各自的邊際產值。

把假設改為真實局限看

　　同學們不要以為老人家吹毛求疵，刻意留難前人。你們要細看上述的假設，知道在這些假設下，就是沒有私產，租值全部消散不容易，再考慮為了生存社會的每個成員皆有意圖減低租值的消散。跟着同學們要把上述的假設作為局限看，作點改動，向真實世界那邊走，我們可以解釋很多現象。以公海漁場為例，説因為非私產租值全部消散是漠視真實世界局限的學問了。

　　好比在大海以魚竿下釣，我讀過一項統計，不到百分之五的下釣者獲取百分之九十以上的魚。不同釣客的比較優勢成本

不同，少數人可以之為業，大多數只能以之為樂矣。為樂也有
所值，而租值全部消散是說所值是零。六十年前在香港筲箕灣
的海域，用手與絲下釣者無數，但大部分的魚落在三個人的手
上，今天的老人家當年是其中一個，其他兩位皆以下釣為業。
這裡的問題是：作為"漁場"，當年筲箕灣的海域是這三個人的
私產嗎？從界定海域使用權利的角度看當然不是，但從釣技界
定權利的角度看，上蒼會說是吧。資源使用賺取租值的權利可
以轉到使用者的本領那邊去。好比某山頭沒有業主，地面之下
滿是金沙，知道這秘密的只一個人，是他的知識資產吧。我們
不要單從資源的本身看產權問題。

　　不同的人擁有的知識不同，或比較優勢的成本有別，競爭
使用沒有私產權利界定的資源，不僅租值不會全部消散，而且
知識等局限的保護可以導致資源使用近於私產的效果。這些就
是在上節我提到的"特殊情況"了。知識或優勢可以維護資源
使用的權利。然而，因為資源本身沒有產權界定，靠使用者的
優勢維護是不足以讓資源在市場成交的。可以在市場成交的是
知識或成本優勢。知識及優勢有價，代表着資源租值的轉移，
也解釋了為什麼好些資源沒有被界定為私產。是的，如果只有
一小撮人懂得怎樣在公海捕釣，公海漁場沒有業主其使用的帕
累托條件的滿足可能跟有業主差不多。

利益團體出現的原因

　　可能更重要是公海漁場的租值全部消散需要有無數家機構
參與或無數個捕釣者，因為有如下的含意：只要捕釣的機構或
單位數量能被約束下降，還存在的競爭捕釣者每個賺取到的在
生產成本之上的租值會上升。我認為，也深信，這是公海漁業
的利益團體以繁多知名的主要原因。

　　租值的爭取或蠶食需要有組織才能成事——獨行俠是免問的。這裡同學們又要注意了。有組織性的利益團體爭取租值分兩大類。其一是租值已經存在，屬他人的，利益團體可以用多種方法蠶食。曾經雄視地球的美國通用汽車是清楚的例子：龐大的租值，經過多年被工會蠶食，二○○九年跌到負值，後來被政府接管了。這類租值蠶食一般對社會的經濟有害，可不是因為租值或收入分配的轉移，而是因為工會的組織費用高，而被蠶食的機構會採取防守政策，其費用也高。換言之，租值轉移的本身對社會經濟沒有明顯的害處，但你攻我守的費用高，切進了租值那裡去——即是說，蠶食他人的租值會導致某程度的租值消散。

　　另一類租值的爭取是試圖創造租值。這是公海漁業的例子。公海非私產，沒有業主收租，但漁船有牌照的約束與數量的限制，以及捕釣的時日有限制。該牌照可以很值錢。上世紀七十年代，美國阿拉斯加的三文魚捕釣船牌，一個的市價高達三十萬美元。這牌照之價是公海漁場的租值了。捕釣的勞動人手也有漁業工會約束人數的規限，七十年代的會員工資高出同樣勞動力的非會員工資不少。此外還有環保團體，有保護野生動物的，也有其他政府機構的左右——皆利益團體也。

　　要真的理解海洋漁業的利益團體的運作與租值爭取及分配的含意，以上世紀七十年代的阿拉斯加為例，有點看頭的考查需要好幾年。我不懂。據我略知的大概，跟海洋漁業有關的多個利益團體不是一致地爭取公海漁場的租值提升，而是互相爭取這租值的攤分。我的主要證據，是當時好些政府及工會的規例，有明顯的提升捕釣成本的效果——這種成本提升對我有利，那種成本提升對你有利，糾紛常見也。這些糾紛不會提升公海漁場的總租值——在非私產下以約束捕釣的行為獲取——

而是會導致本來可以多獲的租值消散了。

換言之，公海漁場非私產，沒有業主收租，但如果只有一個利益團體存在，該漁場的使用有機會達到私產與市場運作的效果，也即是有機會滿足傳統的帕累托——漁場的租值全部轉到牌照市值那邊去。這就帶到私產與非私產在分別上的一些重要含意。私產維護得宜，利益團體不會出現，而如果像通用汽車當年被工會蠶食租值，我們很少見到多個勞動力利益團體的實例。然而，非私產資源惹來的利益團體往往有好幾個，你爭我奪，增加了減低租值消散的困難。

浮籠養魚瓦解團體

我老是提到上世紀七十年代，因為八十年代初期起公海的三文漁業有了重要的轉變。這轉變起於在美國西北部的無數島嶼與海灣中，有人仿傚當時的香港，以浮籠飼養。這發展冒升得快，到了九十年代飼養的三文魚的批發價僅為野生捕釣的三分之一。有人說野生的遠為可口，正如今天在中國內地，不少人說野生的海魚比籠養的好吃。我很少遇到一個敢跟我打賭可以百辨不錯的人。

是的，到了九十年代中期，阿拉斯加的三文魚捕釣漁船牌照之價下降至近於零！環保與野生動物保護的利益團體群起而出，反對浮籠飼養。這阻慢了飼養的發展，但功效不高。這是因為太多的沿海地區不斷地出現浮籠飼養三文魚，而反對的利益團體的運作權力有地區性，不能遠及。這裡禁止飼養那裡不禁，這裡是輸家。

有趣是反對浮籠飼養的利益團體，跟此前反對多捕野生三文魚的是同樣的兩組人。以浮籠飼養不是保護着野生三文魚嗎？

附錄：國慶大堵車的經濟觀

（按：本文發表於二〇一二年十月九日，分析一個精彩的租值消散達負值的實例。北京後來繼續在大假推出免路費。見過鬼怕黑，好些車主不再嘗試。訊息費用的下降會減少租值消散。大假免路費一定有租值消散；訊息靈通不會達負值。）

國慶年年有，今年格外奇。事緣北京的朋友發明大假八日收費公路一律免費這項玩意，導致的交通大堵塞令人嘆為觀止。西方的朋友來郵問究竟，我說有人要證明老人家當年發明的價格管制導致租值消散這個論點是對的。可惜對過了頭，公路的租值不僅下降為零，而且出現了租值變作負值的情況。老人家當年寫價管理論時可沒有想到，汽車上了公路，出現了長達十多個小時的堵塞，不是直升飛機，無從退出，租值怎麼不會下降為負值呢？

一位同學問：茅于軾老師在網上說公路應該收費，給憤青們罵個半死，怎會有那麼多的蠢憤青呀？我回應：憤青不是蠢，而是聰明，因為他們沒有駕車駛上免費的公路去。我也聰明，沒有在這次繁忙節日光顧免費公路，在智商上跟憤青小友們打個平手。

幾位也沒有中計的同學要求我分析公路免費導致擁擠堵塞這個話題，我要想兩天才敢動筆——非淺學問也。其實理論與概念皆淺，困難是要用出變化才有可觀。把淺理論用出多變化是深學問，難度高，同學們要用心跟進了。

先假設公路毫無成本：土地與建造皆沒有成本，管理費用是零。在這樣的局限下，沒有擁擠，爭取社會的最高利益公路的使用不應該收費。這支持着霍特林、薩繆爾森、阿羅等大師的關於共用品的觀點，即是支持着他們說的邊際成本是零則不

　　　　　　　　　　　　　　　　合約的一般理論

應該收費的看法。可惜他們沒有指出那不可或缺的所有成本是零這個假設，雖屬天才，但對經濟概念掌握不足就降了一等。

這裡的問題是雖然公路本身的成本假設是零，但擁擠出現，就變作劍橋大師庇古提出的公路例子：私人成本與社會成本出現了分離，無效率，有經濟浪費，也即是老人家說的租值消散會出現。這是因為一個使用公路的人只管自己的行車利益，不會顧及干擾着他人的損害。速度不論，擁擠到某一點約束車輛的數量是需要的。這約束的方法有多種，而我說過多次，唯一不會導致租值消散的約束競爭的準則是市價。

不是凡有車輛擁擠就要用收費的方法來約束車輛數量的。一輛車駛上公路，其時間的節省是該車主的利益，而因為該車的參與導致其他車輛緩慢下來是社會的損失。在邊際上——要注意是說在邊際上——一輛車參進的利益要與因為該車參進而使其他受到不利影響的車輛的損害看齊，才能達到整體利益最高的均衡，也即是說達到公路使用的整體最高租值。詳盡的解釋可見於老人家一九七八年在倫敦經濟事務學社出版的《公損之謎》（*The Myth of Social Cost*）。

從社會整體的利益看，如果公路沒有成本，沒有擁擠不應該收費。擁擠到某一點——增加一輛車的邊際私人利益開始低於其他車輛加起來受到的邊際損害——應該收費，務求穩定着這前後二者相等的均衡。開始收費時公路的車輛會是不少的，因為有擁擠出現了。

當然，愈是擁擠，每輛車收取的路費要愈高。這是因為擁擠的上升反映着需求增加，使用公路的邊際利益或邊際用值增加，而擁擠增加其他車輛受到的邊際損害也因而增加了。所有車輛使用同一段路付同樣的路費，所有參與者的邊際用值會相等。另一方面，如果路費能使這邊際用值與邊際損害達到看齊的均衡，公路的總租值會是最高的。在實踐上，決定這路費的人不需要知道什麼邊際不邊際。他只要懂得調校路費幾次，找到近於最高總收入的，上述的兩個邊際價值就近於相等了。

問題是，車輛的擁擠常有變動，社會的理想效果因而需要公路的收費不斷變動：擁擠增加收費上升，擁擠減少收費下降。交易費用的存在增加了這收費調校的困難，而訊息費用的存在可使收費的不斷調整引起混亂。繁忙時間收費增加不罕見，但頻頻調校很困難。一九八四年，香港財政司彭勵治和我考慮過繁忙時間海底隧道增加收費，商討後大家不敢賭這一手，因為恐怕爭先恐後的行為會引起混亂。今天的電子科技遠為發達了，不知有沒有天才能想出好主意。

現在轉到公路成本高昂的討論了——同學們要不要先想一下成本高昂的分析才讀下去呢？假設地價與公路的建造成本皆高，但沒有管理的費用。如果公路毫無擁擠，從社會的利益看，這公路應否收取路費呢？我賭同學答不出，因為答案起碼有四個。

第一個答案，是公路花巨資建成後，覆水難收，歷史成本不是成本，所以沒有擁擠不應該收費。第二個答案是雖然建造費用再不是成本，但除非公路建在沙漠地帶，土地一般有其他用途，成本也，公路毫不擁擠，不收費可能比不上拆除公路把土地轉作其他用途。其三是公路建好後，不擁擠不收費，有誰還會再建公路呢？不要忘記，今天神州大地的高速公路滿布，主要是一律收費的結果——一望無涯地見不到一輛車的情況也收費。其四是如果指明要有擁擠才能收費，建造出來的公路會是很窄的——私人投資如是，政府下注也如是，是要有擁擠保障的選擇也。當然，這裡的分析，是漠視了公路的建造會帶起好些地區的地價上升，也會導致某些地區的地價下降。也當然，只要有某程度的擁擠，公路本身有沒有成本，收費的經濟準則一樣：爭取租值極大化與社會利益極大化沒有衝突，使用公路的人的邊際利益或用值要與其他車輛因為擁擠而導致的損害的邊際總和相等。

如果有建造成本的公路毫不擁擠也收費，好叫鼓勵多建造，或今天不擠明天擠，不擠時先收費可以減輕明天的收費財政，那麼毫不擁擠所收的路費可不是什麼邊際對邊際，而是同學們一律學過的需求彈性係數等於一的老生常談了。

只要交易或訊息費用夠低，我不認為政府策劃投資與私人策劃投資有多少分別。因為交易費用的存在，有些事項政府處理的成本較低，有些事項市場處理的成本較低，是不難理解的正確看法。我從中國的發展中學得很多。自開放改革以還，北京上頭與下頭的地方政府的選擇大致上做得對。要不然，中國不會出現舉世譁然的經濟奇蹟。可惜這幾年亂了陣腳，頻頻出錯。

局限不同，效果有別。是好是壞不論，今天滿布神州的高速公路只不過是十多年前才開始大興土木的。如果土地的所有權屬私有，加上要通過民主投票作決定，五十年不可能建造那麼多。如果加上不收路費，一百年能建造那麼多算是奇蹟了。

報道說，北京這次推出大假八天公路一律免費，是經過深思熟慮的統計分析的。這使老人家對前文提及的香港財政司郭伯偉昔日反對看統計數字有較為深入的體會。需要政府策劃的事項不能不看數字，但這策劃之後放手交給市場，還依靠數字作干預是大忌。這次公路免費算錯了數是小事，什麼廉租房、經濟適用房等的數量算錯會是遠為嚴重的。或然率說會錯，問題是大錯還是小錯罷了。

　　一位同學說內地有幾位經濟學者分析這次因為公路免費，雖然帶來大堵塞，其效果是人民的消費大幅上升了，對社會有利。這種經濟分析老人家沒有學過，想來是從凱恩斯學派演變出來的一個新品種。同學們可從老人家教過的需求定律推出這消費上升給社會帶來的浪費嗎？

　　昔日牛頓穿上鐵鞋知道地心吸力有輕重之別。今天老人家在街頭巷尾走一轉會感受到經濟的沙石如何。感受上，這幾年中國的經濟運作是多了沙石，發展的節奏是轉變了。是專業與數十年操作帶來的感受功能，用不着拜郭伯偉為師吧。

參考文獻

A. C. Pigou, *The Economics of Welfare*. MacMillan, 1920.

F. H. Knight, "Some Fallacies in the Interpretation of Social Cost," *Quarterly Journal of Economics*, 1924.

J. E. Meade, "External Economies and Diseconomies in a Competitive Situation," *Economic Journal*, 1952.

H. S. Gordon, "The Economic Theory of a Common-Property Resource: the Fishery," *Journal of Political Economy*, 1954.

A. Bottomley, "The Effect of the Common Ownership of Land upon Resource Allocation in Tripolitania," *Land Economics*, 1963.

S. N. S. Cheung, *The Theory of Share Tenancy*. University of Chicago Press, 1969.

S. N. S. Cheung, "The Structure of a Contract and the Theory of a Non-Exclusive Resource," *Journal of Law and Economics*, 1970.

S. N. S. Cheung, "The Fable of the Bees: An Economic Investigation," *Journal of Law and Economics*, 1973.

S. N. S. Cheung, "A Theory of Price Control," *Journal of Law & Economics*, 1974.

S. N. S. Cheung, *The Myth of Social Cost*. Institute of Economic Affairs, 1978.

S. N. S. Cheung, *Will China Go Capitalist?* Institute of Economic Affairs, 1982.

S. N. S. Cheung, "The Transaction Costs Paradigm – 1998 Presidential Address, Western Economic Association," *Economic Inquiry*, 1998.

在什麼是租什麼是稅這話題
上三十年前我一腳踏中在中
國出現的包產到戶，跟蹤這
發展，知道後來的增值稅是
一脈相承，因而得到這徵收
全部是“租”而不是“稅”
的觀點。

第四章：收入權利與價格管制

一九六六年我在寫《佃農理論》時，發現資產的收入權利沒有被清楚地界定為私有，會產生跟該資產的使用權利沒有界定為私有的相同效果。這是一九七四年我發表的《價格管制理論》用上的思維。後來進入了新世紀，考查中國的經濟制度，這思維使我意識到租與稅可以是一回事也可以是兩回事，而政府抽稅究竟有沒有經濟效率我們要看清楚究竟是租還是稅了。

第一節：收入權利的界定與分派

前文我從科斯的欄杆寫到戈登的漁場，也討論了米德與我的蜜蜂之爭、庇古與奈特的公路之爭——全部是關於資產使用權有界定帶來的租值及沒有界定帶來的租值消散。轉到收入權利那邊去，我要指出如果收入的權利沒有清楚的界定，資源的使用也會導致租值消散。這是一九六六年思考佃農分成時想到的，後來在該年底寫下《閑話產權分派與資源使用》一節（今見《佃農理論》一一五至一一七頁），提出了一個"產權分派的生產定理"。當時我是研究生，但從本科起苦攻六年多了。半個世紀過去，從來沒有人注意到我今天還認為是重要的《閑話》，可見經濟學者對解釋現象沒有多少興趣。

台灣經驗的啟發

事緣一九四九年台灣推出土地改革的第一期，政府強制地

主的農產品分成從原來的平均百分之五十六點八約束在百分之
三十七點五，效果是農產品的產量明顯地上升了。政府管制導
致產量上升不容易相信，我花了幾個月考查，找不到台灣的多
種農作物的數據有出術的地方。一九六六年的春天我坐下來，
先推出一個沒有政府管制的佃農理論，然後把政府管制的分成
率加進去，農業的產量果然上升了！反覆推敲多次，找不到錯
失——我在《佃農理論的前因後果》那長文中細說了。

　　同學們考慮如下的推理吧。假設在市場競爭下，佃農分成
地主佔產出百分之六十，而這分成地主所獲與固定租金相若
（事實如是）。農戶佔產出的百分之四十的所值與他的市場工資
（或非土地投入）看齊。現在政府規定地主的分成是百分之
三十五，農戶分成百分之六十五。這樣，農戶的分成中有總產
量百分之二十五是高於他另謀高就的工資。這高於農戶勞力的
市場所值的那部分，屬無主孤魂，因為土地不是農戶的，而法
律說地主沒有權收取那部分。地主有權選擇農戶，也可與農戶
洽商勞力的投入，在市場競爭下，農戶要提升投入才可以保持
租約，直至百分之六十五的分成所值等於農戶投入之量的另謀
高就的收入。這樣，農戶的產量會上升，地主有政府約束着的
百分之三十五的分成所值會比農戶不增加投入的為高，雖然地
主分成所得的租值比不上沒有政府約束分成率那麼高。

　　租值消散出現，因為像公海漁業那樣，勞力或非土地的成
本增加局部取代了土地的租值。從社會整體看，這消散更大：
租地農戶的勞力之量提升了，勞力的邊際產值會下降，農地的
邊際產值會上升。這使租地的勞力邊際產值低於不租地的勞力
邊際產值，也使租地的土地邊際產值高於不租地的土地邊際產
值，導致傳統說的浪費——從本章的角度看租值消散是增加
了。我在《佃農理論》的第八章表演神功，以不同農植的每畝

平均產量轉變來證實上述的邊際產量轉變。

產權分派的生產定理

在上文提到的《閑話》中我指出，如果農地的地主分成不是由政府約束着，而是讓土地發行股權，由政府強迫把一部分股權交給農戶，使農地的全部收入界定為私產，這樣，不管這股權的分配為何，農戶與原來的地主皆業主，土地使用的勞力投入與地租的總值會跟政府不管制分成率的完全一樣，不會出現租值消散。換言之，租值消散的出現，起於政府管制分成率，導致一部分的分成收入沒有清楚界定的主人。再換言之，資源使用的權利沒有清楚的界定，與資源收入的權利沒有清楚的界定，會出現同樣的租值消散的效果，雖然消散租值的行為不一定相同。我在《閑話》的最後提出一個定理：

> 兩種生產要素，土地與勞力，各適其主，如果土地的一部分收入沒有界定為誰屬，在競爭下勞力投入相對土地的比率會上升，含意着勞力的邊際產值下降與土地的邊際產值上升。如果沒有界定的土地收入繼續上升，勞力的邊際產值會再下降。當土地收入完全沒有界定為誰屬時，勞力的邊際產值可能是負值。這規律可稱為"產權分派的生產定理"。

第二節：租與稅的分別

這裡讓我轉到另一個更為重要的關於收入權利界定的話題：租與稅的分別。在古時的中國，以及中世紀時代的歐洲，"租"與"稅"是同義的字。地主或郡主收租，歷史演進，地主或郡主提供治安、公證等服務，"租"的稱呼就變為"稅"。這分別靠不住，因為回顧中、西雙方的近代史實，何謂租何謂稅還是往往混淆不清。

　　有趣而又麻煩的是，經濟學者歷來對政府增加稅收沒有說過半句好話，但土地可以增加租值則被認為是社會之福。我認為這二者的分歧不是因為政府與非政府惹來的困擾：任何公司或機構的操作，沒有通過市價指引的，皆可作為"政府"的活動看。真理是，以土地而言，從經濟效率的角度看，其使用一定要收租，就是地主自己使用也要算得分明。此租值也，一般是愈高對社會愈有利，因為那是顯示着資源或資產使用得宜。是政府還是私人的土地要同樣看，至於收得的租金要怎樣花是另一回事。

　　是我之幸。在什麼是租什麼是稅這話題上三十年前我一腳踏中在中國出現的包產到戶，跟蹤這發展，知道後來的增值稅是一脈相承，因而得到這徵收全部是"租"而不是"稅"的觀點。是的，在我考查中國的縣際競爭制度那段時期，不用國家的資產不付增值稅。撇開細節不論，也撇開分成與固定金額的分別不談（本卷第四章會談的），我認為租與稅有三點不同。

　　其一，租是基於一些指定的資產來收取的。例如我給你廠房或土地使用，你給我一個金額作回報，是租。上述的增值稅有資產使用權的指定。至於"我"是"私人"還是"政府"是另一回事。稅沒有資產轉讓使用權的指定，也即是沒有"業主"放棄資產的使用權利。其二，租是使用資產的人有權不參與，即是有權不租用，而稅則沒有這個選擇——你是國民，要交稅。其三，租是凡使用有關的資產就要交出，不管有沒有錢賺或是否入不敷支——這與經濟學傳統認為是"理想"的人頭稅的性質相近。

　　綜合起來，上述的三點是說，從收入權利界定作為要點看，租比稅界定得遠為清楚；從本節的主旨看，租值消散的機會也因而大幅下降了。資產是我的，給你用，你要交租（第一點）；你可以選擇不用，另謀高就（第二點）；我不管你懂不懂得怎樣用，交不出租我會找其他的使用者（第三點）——這三點是租的性質，與稅不同。

四個例子與效率稅制

讓我用一些例子說清楚吧。例一，甲是資產的業主，給乙用，收租。乙有權不租，或可租用其他業主的，而甲也可租給其他競爭使用該資產的人。該資產的租值於是在市場競爭下決定了。這例子的含意是：資產的租值收入與其他生產要素的收入皆有清楚的權利界定。

例二，乙是該資產的業主，自己使用，當然爭取該資產的最高租值——即是總收入減除該資產之外的成本。如果有競爭者出夠高的租金，乙會自己不用，租出去。資產的租值與其他生產要素的收入皆有清楚的權利界定。

例三，乙是資產的業主，自己用來生產。甲對乙說，我給你提供保安服務，你每月給我保安費吧。乙可以不用甲的服務，或用其他保安者，或完全不用外人保安。考慮所有選擇後乙決定僱用甲，給後者保安費。這例子也是說，所有收入皆有權利界定。再者，不管甲收取的每月保安費用是一個固定金額，還是收取乙的產量的一個百分率，乙一定會為自己的資產爭取最高的租值才把保安費交出去。

例四，乙是資產的業主，自己使用生產。這裡，甲不僅提供保安服務，也提供多項其他的公共設施。問題的出現，是這些服務與設施沒有明確的資產指定，而乙不能不購買，其價為何由甲指定，乙不能在市場選擇其他供應者。在這樣的情況下，不管甲怎樣說得天花亂墜，乙無從知道他購買的是些什麼，不知哪些自己根本用不着，也不知甲提供的值多少錢。甲只是從乙使用自己的資產收入抽取一部分。這樣，不管是以乙的產出收入的一個百分率算，或是以乙產出的件數算，這抽取的收入的權利界定就變得模糊不清了：不僅乙不知購買的是何物何價，甲也不知自己提供的值多少錢。

上述的"例四"是今天在西方大家知道的政府抽稅，而這裡提出的要點，是因為某部分的收入權利變得模糊，利益團體容易出現，被徵收的會採取防守策略，一攻一守，租值消散會出現。

本科同學常見的，是政府抽稅的分析把曲線移來移去，幾何圖表顯示這裡一個三角那裡一個三角，指出的無效率是間接的租值消散的量度。進了研究院則轉用彈性係數方程式。然而，如果政府抽稅是用上述的例一或例三，資產使用的租值會趨於極大化，不會消散，是有經濟效率的稅務制度。同學們學的全盤錯了！把曲線移來移去是防守策略使然。如果資產（包括勞力）的使用與收入權利全部有了界定，無須防守，租值何來消散呢？

效率稅制不能處理收入再分配

原則上，政府提供國防、基建、公共設施等，跟資源使用的租值極大化可以是沒有衝突的。尤其是像中國經改發展得最有效率的時期，土地為國家所有，地方政府以增值稅的方法放出去給使用的競爭者，是上述"例一"的處理。這是我知道的在真實世界中最高經濟效率的稅務制度，我在《中國的經濟制度》中解釋了這制度的運作。二〇〇五年，在老人家古稀七十的宴會中，我直言中國的經濟制度是見過最有效率的。這句話惹來不少非議，但老人家知道是掌握着真理。

中國的經濟制度二〇〇七年開始出現了好些問題，二〇〇八年引進了新《勞動合同法》問題就變得嚴重了。二〇〇八年後我沒有再跟進中國的制度發展——要集中火力重寫《經濟解釋》之故也。二〇一一與一二年間聽到的關於徵收物業稅（房產稅）的言論，竟然沒有提及這項稅收是用來作什麼的。西方的物業稅一般說明用途。

　　本節是說，原則上，政府抽稅可以跟資源租值的極大化沒有衝突，用不着考慮英國撒切爾夫人為之下馬的人頭稅。只有一個無從解決的難題：增加租值或避免租值消散的效率稅制，是不可以用抽稅的方法來改變收入的分配的——不可以利用稅制來劫富濟貧。換言之，幫助窮人我們要用稅制之外的其他方法，否則收入的權利會因為再分配而界定不清，導致租值消散。我認為財富或收入的再分配是國家理論中最麻煩的地方。我也認為收入再分配的需要是今天好些國家的稅務制度搞得一團糟的主要原因。

第三節：價格管制理論

　　拙作《價格管制理論》是一九七四年四月在《法律經濟學報》發表的。我懷疑該學報的主編科斯有細讀該文。同事巴澤爾多次說那是他讀過的最重要的經濟學文章。當七四年初我正要把文稿寄給科斯排版時，身在倫敦經濟學院的哈里·約翰遜（Harry G. Johnson）來信，叫我把該稿毀掉，從頭再寫！他說該文的中心思想非常重要，但以價格管制為題下筆是歪着。今天回顧，哈里可能對，但當時我有困難。該文的思維起於一九六九年，我大興土木調查香港的租金管制，跟着一九七三年寫《價管》那幾十頁紙花了一整年，修改了無數次。哈里來信時，科斯的秘書正在催稿，無心戀戰，交出去算了。我當時也認為哈里輕視了我對不均衡的闡釋。

是巴澤爾給我誤導吧。構思該文的內容時，我頻頻跟他研討，他明白，一直把我正在動筆的捧到天上去。我可沒有想到，他明白不等於外人也明白。結果是外人不容易讀得懂：哈里旁觀者清，建議我從頭用另一個角度再寫，不無道理。往事依稀，但也不是毫無收穫。幾年前一些朋友告訴我該文被放進了兩份經典文選系列，也有一些研究院放進讀物表去。

《價格管制理論》的中心思想是上節分析的收入權利沒有界定的主人，導致租值消散，但參與的競爭者有減低這消散的意圖。主旨是：減低租值消散的行為就是價格管制帶來的現象了。本節舊話重提，我先寫上一節，為的是要先回應哈里當年要我從頭再寫的建議：他認為收入權利沒有界定惹來的租值消散與減低租值消散的行為是重點，不是價格管制。可惜故人謝世三十多年了。

推斷替代準則是要點

說過了，市價是唯一不會導致租值消散的競爭準則。價管會導致租值消散是顯而易見的事：一張戲票市值一百元，政府規定不能高於六十，那四十元的權利是誰屬的呢？排隊輪購出現，在邊際上，成功輪購者的最高時間成本是四十元。票價中的四十元被時間成本取代了。是租值消散，起於那四十元的收入權利沒有界定為誰屬。這裡出現一個嚴重問題：知道排隊輪購會出現，均衡分析易如反掌，但我們怎可以推斷排隊會出現呢？競爭者可能打架，可能搞人事關係，可能美女答應了些什麼，也可能戲院關門大吉——這些可能出現的替代市價的準則無窮無盡，難以肯定，假說於是無從驗證，我當年稱之為不均衡。

市價作為決定競爭勝負的準則被壓制，競爭依然存在，誰勝誰負還是要決定，所以其他替代市價的準則會出現。如果我們能推斷哪一項替代的準則會出現，均衡分析只不過是優質本科生的功課習作；如果我們能推斷哪幾項替代的準則會出現，均衡分析只不過是優質研究生的習作。但如果我們無從推斷哪一項或哪幾項替代準則會出現，或可能出現的替代準則在邏輯上不確定，不均衡是效果。不均衡是說我們無從推出可以被事實或行為驗證的假說，也即是說沒有理論了。

不清市源於思想不清

在《價管》一文中我寫下《問題的性質》那第一節，對傳統的價管理論痛下批評：

需求與供應曲線是概念工具，約束着在不同價格下買賣雙方願意成交的最高量。在指定的條件下，市價與成交量被決定了。這些於是決定收入的分配與資源的使用。我們因而可以繼續推斷，需求與供應的轉變含意着的成交價與量會跟着怎樣變。但這些概念工具是不可以處理需求與供應決定的市價受到的管制。

價格被管制在市價之下，傳統說"短缺"出現了，含意着的可能出現的效果有多種，……任何一種或幾種的合併皆與短缺沒有衝突。但哪種行為可以推翻"短缺"這個假說呢？沒有！例如排隊輪購的人數不加反減，"短缺"的存在不一定被否決。……一個與任何現象沒有矛盾的理論不能解釋任何現象。

傳統說在價管下不能"清市"——即是有短缺或剩餘。兩個或以上的人交易就是市場，而交易不限於用金錢的市價。真理是，在價管下，其他一種或多種競爭準則會出現替代，例如排隊時間、論資排輩、武力高低等。不管在價管下替代金錢市價的準則是什麼，不可能不清市，即是需求量還會等於供應量。……就算在價管下市場不復存在，該市之"清"跟不能成市的產品類同：在既有的局限下市場不存在。……說不清市只不過是逃避着一個沒有解決的問題。

說價格管制導致"不均衡"，是說可以驗證的含意不存在。只說某物品之價或某物業的租金被政府管制在市價之上或之下，是不足以推出可以驗證的假說的。當指定的局限條件增加了，人的行為增加了約束。解釋價格管制帶來的效果，跟解釋任何經濟或人類行為一樣，指定的局限一定要有足夠的約束，以致行為可以或有機會被事實推翻——只有這樣我們的解釋才可以驗證。

解釋價格管制帶來的效果與解釋其他經濟行為一樣，一方面局限的考查要在真實世界入手，另一方面局限的指定要被理論約束着。後者是必需的，因為我們要分開有關與無關的局限，衡量有關局限的重要性，從而限制着有機會被事實推翻的含意……

因此，這裏提出的價格管制理論不是為了解釋某價管會帶來什麼效果，而是作出提議：在價管下我們要怎樣選擇局限條件的指定……

問題所在之處

同學們可以想像，真實世界的局限無數，我們要選出與某價管有重要關係的不容易。選擇有關局限的目的是為了決定在某價管下哪一項或哪幾項決定競爭勝負的準則會為了替代市價而被採用。說過了，只要知道這些準則，價管的均衡分析與解釋行為的假說驗證，其困難程度不會超過研究生的功課習作。

其實，上節提到的佃農分成率管制也是一種價管，但分析遠為容易，因為分成率的本身不是一個固定的價，在競爭下租值傾向於消散帶來的調整不需要考慮很多其他有關的局限，也即是說不需要引進其他替代市價的競爭準則才可以找到均衡。但這裡說的價格管制是約束着一個固定的價，不是一個百分率，可能變動的行為無數。這解釋了為什麼分析台灣當年的分成管制法律是那麼簡單，分析香港二戰後的固定租金管制複雜不止十倍。美國一九七一年推出的價管動員五萬人，有關的法律條文與詮釋小字印刷三呎厚。

　　推出價格管制理論困難，源於不容易知道怎樣選擇有關的局限條件。當年我從租值消散那方面想，沒有想錯。一九六九年思考公海漁業時，我意識到在競爭下參與的人有意圖減少這消散。但我要到一九七一年的一個晚上，才想到在局限約束下會有減低租值消散的意圖，而那些局限就是決定在價管下哪些替代市價的競爭準則會出現的關鍵。看似簡單，其實是要講點運情才能想到的重要突破。

香港租管的兩個誇張現象

　　是從香港二戰後管制二戰前的樓宇的租金想出來的。我選當年香港的租管入手，因為同樣樓宇的市值租金高於管制着的不止十倍，夠誇張，導致的現象或行為清楚明確。兩個誇張的現象吸引着我。

　　第一個現象是分租。在租管下，大房東、二房東、三房東等出現，以致約五十平方米的住宅單位，平均住着四點三二伙人家，而最密集的單位達二十二伙。戰前香港的住宅單位面積很一致，我是從三千六百零三個法庭檔案算出來的。

　　分租的理由簡單。在租管下，雖然租金很低，市場可不那樣看。以市租所值看，第一手的大房東住不起，於是以較高的每呎租金分租一部分給二房東；過了不久二房東又住不起，分租給三房東。結果是，雖然管制租金比市值租金低很多，但通過分租合約的安排，整個單位的總租金比管制着的高出不少，雖然這總值還是低於沒有管制的市值。租管的租值消散因而下降了。

第二個誇張的現象是天台木屋的僭建。香港當時的戰前樓宇約三層，並排相連在一起，屋頂是平的，為孩子玩耍及曬衣服之用。在租管下，不少外人跑到屋頂（天台）去僭建木屋，密密麻麻——不是説笑，天台有小巷街道，住所之外有小食店及小商店。理由也簡單。在租管下業主懶得管天台使用的秩序，認為整座樓房倒塌下來更好，因為可以重建而收政府不能多管的新租金。天台之下的租客呢？他們收取天台僭建者的水費、電費等，因為這些供應要通過他們。天台的水、電費當然高於市價，常有吵鬧，但因為屋頂的僭建客不能沒有水、電，天台僭用的租值的一部分要分給下面的租客。總租值的消散是減少了。當然也通過一些合約安排：僭建者與下面租客的不方便寫在紙上的口頭合約。

兩個破案的提議

因為上述種種，在一九七四年發表的《價格管制理論》中我寫下兩個提議，不僅巴澤爾讀到站起來，楊懷康也叫絕——英雄所見略同也。

提議一：當收入的權利局部或全部從一個合約伙伴抽出，這抽出的收入傾向於消散，除非這抽出的收入的權利是分派及界定給對方或另一個人。沒有主人的收入的消散可能通過資產使用的轉變，導致資產的價值下降，或通過合約安排的轉變，導致議定與監管合約的費用增加，或是這二者的合併。

　　這提議是基於上節説過的一個要點：收入權利沒有界定的主人會產生與使用權利沒有界定類同的效果。收入權利沒有主人，物主或業主不會熱衷於監管或執行他的使用權利。使用權的存在含意着物主或業主有權通過合約來約束他人使用的行為，但沒有收入權該業主不會熱衷於監管合約，何況合約的安排有交易費用。全部收入沒有界定權利如是，局部沒有在程度上也如是。

　　提議二：當沒有界定權利的收入出現，導致這收入傾向於消散，有關的參與者有意圖在局限容許下減低這消散。這可能通過選擇物品或資產的其他用途，使物品或資產的價值下降得最少，或通過合約安排的轉變，使約束使用的交易費用上升得最少，或是這二者的合併。

　　這提議是基於租值消散屬浪費，有關的參與者有意圖減低這浪費。這也是説，交易費用的存在一定要與財富極大化沒有衝突。巴澤爾曾經在一篇文章中説過，我提出的交易費用的存在會導致另一個財富極大化的均衡，是整個交易費用範疇中最重要的一句話。

結語

　　讀到這裡同學們應該開始明白，傳統教的價格管制的理論，説什麼有短缺或剩餘出現，不均衡，不能清市，全部是胡説八道。不是管制分成率的、管制着一個固定金額的價的分析，非常困難，因為含意着的不均衡是説可能導致的行為或現象的變化太多，無從肯定，因而無從驗證，沒有解釋力。可以驗證的假説一定要有行為的約束，規限着某些現象會出現某些現象不會出現。然而，只説是管制着一個價是沒有足夠的局限約束來推出可以驗證的假説的。天下從來沒有價管只管一個價，或明或暗的法例約束一般複雜，我們要怎樣處理才對呢？

說價格管制會帶來什麼現象一般是空泛之辭，因為怎麼樣的行為都可能出現。可能出現也就是說可能不出現了。沒有被事實推翻的肯定性，說不上是假說或理論。四十年前我因而注意到，價格管制的分析，我們要首先推出在價管下哪些決定競爭勝負的準則會出現，替代市價。我跟着提出的價管理論，不是管制會導致什麼短缺或剩餘，而是一個可以推出在任何有個別性質的價管下，哪些準則會出現替代市價的理論。只要能推出替代市價的競爭準則，跟着的均衡分析不困難，而行為轉變的推斷會是很準確的。上文教的，是準則的採用，一定是可以減低租值消散或減低交易費用的，要讓我們推出在交易費用的局限下必會出現的另一個財富極大化的均衡。

從社會經濟的利益看，價格管制為禍是無可置疑的。香港昔日的租金管制不論，我平生見過兩個價格管制有近於毀滅社會經濟的效果。其一是美國一九七一年推出的，導致該國不景逾十年。要不是里根總統上場，在八十年代初期手起刀落，後果不堪設想。

其二是中國二○○八年推出的新《勞動合同法》，也是複雜的價格管制。可幸好些地區忙顧左右，但廣東的東莞一帶曾經管得緊，政府出錢給勞工起訴僱主。是的，以工業產出雄視地球一時的東莞，盛譽不再，到今天還是每況愈下。

老人家當然知道該勞動法會是災難，發表了十多篇文章大聲疾呼，叫得街知巷聞，但皆如石沉大海。中國是一個奇怪的國家！這些文章推斷的都出現了，反映着本節提出的理論有斤有兩。只一項推斷我不是全對。這推斷說中國的工業機構會出現一些新的合約安排，增加了交易費用。這沒有錯，但受到律

師朋友對該《勞動合同法》的詮釋的誤導，我想錯了工業合約
結構的轉變會向哪方向走。今天看得清楚一點。以東莞為例，
那裡的工廠選擇的是把企業拆細——一家大廠拆為幾家小廠，
或發放出去給小廠或家庭產出。小廠或家庭產出新勞動法管不
着。當然有租值消散，但比關門大吉的全部消散是較為優勝
了。

　　說過了，不會導致租值消散的市價是奢侈的競爭準則，得
來不易。也說過了，如果中國的新《勞動合同法》堅持執行，
將來的歷史學者會說中國的經濟奇蹟止於二〇〇八年。君不
見，自該年起，在美國市場中國貨逐步被其他發展中國家的產
品替代了。

參考文獻

S. N. S. Cheung, *The Theory of Share Tenancy*. University of Chicago Press, 1969.

S. N. S. Cheung, "A Theory of Price Control," *Journal of Law & Economics*, 1974.

S. N. S. Cheung, "Rent Control and Housing Reconstruction: The Postwar Experience of Prewar Premises in Hong Kong," *Journal of Law and Economics*, 1979.

S. N. S. Cheung, "The Contractual Nature of the Firm," *Journal of Law & Economics*, 1983.

S. N. S. Cheung, *The Economic System of China*. Hong Kong: Arcadia Press, 2008; Beijing: China CITIC Press, 2009.

我要到大約一九八三年才驀
然驚覺，知道以等級界定權
利是一種減低租值消散的約
束競爭的合約安排。如此類
推，所有風俗、倫理、宗
教、禮儀、法治等皆有約束
競爭的含意，皆可作為合約
看：或明或暗，或自願或強
迫，一律含意着互相同意的
約束。

第五章：約束競爭是合約的廣義概念

　　阿爾欽提出：任何社會，只要有稀缺，必有競爭，而決定勝者與負者的規則可以闡釋為產權制度。作為他的入室弟子，加上後來受到中國經改的啟發，我嘗試從一個修改了的角度看世界。我的看法，是資源使用的競爭一定要受到約束，人類才可以生存，因為沒有約束的競爭必然帶來的租值消散，會滅絕人類。這些約束可以有不同的形式，或不同的權利結構，界定着經濟制度的本質。

　　約束競爭的權利結構可分四大類，而任何社會通常是四類並存的。第一類是以資產界定權利，也即是私有產權了。第二類是以等級界定權利，也就是昔日中國的幹部同志按資歷級別的排列。第三類約束競爭的法門是通過法例管制。最後，競爭也可以受風俗或宗教的約束。

　　因為約束競爭含意着互相同意的行為，或暗或明，或自願或強迫，這就含意着合約的存在。不一定是在市場以市價交易的合約。一九八二我說過，一個國家的憲法是合約。私有產權、等級排列、法例管制、風俗宗教，等等，以我之見，都是不同形式的合約安排。

　　上世紀六十年代是經濟學發展的黃金歲月；那十個年頭我剛好在美國苦攻經濟。不容易想像當年有那麼多的大師喜歡教一個學生，何況這學生是外來的。今天，我認為自己的經濟學還是他們教的斯密與馬歇爾的傳統，但好些方面我處理解釋現

象用上的方法，尤其是在細節上，跟這傳統是有了頗大的分離
了。一方面我把傳統的理論簡化了很多，另一方面在細節上我
加進了很多自己想出來的變化。

六十年代是五十年前，往事依稀，當年悉心教我的都不在
了！今天，我用的解釋或推斷世事的法門跟他們教的有了分
離，主要是因為他們教得好：他們鼓勵我走自己的路。另一方
面，二戰時我在內地逃難，戰後在香港的街頭巷尾跑，一九七
九年開始跟進中國的演變，平生見到的現象跟教我的很不相
同。經濟學的理論與概念放諸四海而皆準，但同樣的理論與概
念，遇到不同的有關現象需要反覆印證。現象或事實不能更
改，但理論的運用與概念的闡釋會因為觀察有別而需要調校。
這些調校主要是在細節上，但經過那麼多年的調校、修改，外
人看來可能覺得很不一樣。其實基礎還是一樣的，還是我在
六十年代學回來的那一套。只是變化多了很多，重點的掌握有
了轉移，不管是好是壞，在經濟解釋上我是有了自己的思想範
疇了。

第一節：複雜理論與複雜變化是兩回事

世界複雜。面對複雜的現象我們可以增加理論的複雜
性——例如提出新的生產函數或需求函數，或可採用簡單的理
論而補充着複雜的變化，但不可以理論與變化皆複雜。
一九六九年回港度假，跑了兩個月工廠我決定選走簡單理論的
路，只憑搞出變化來處理複雜的世事。得到的優勝效果是清楚
明確的。

世界為何複雜？

今天，我認為不可或缺的經濟理論只有三方面。其一是需

求定律──需求曲線向右下傾斜。其二是成本概念──成本是最高的代價。其三是競爭的含意。其他的理論及概念可以一概不用，雖然有時為了讓讀者較易明白，久不久我也用其他的。

需求定律是以一條向右下傾斜的曲線約束着人的行為。價是局限，在邊際上價等於需求量是說在局限下爭取個人利益極大化。價有多方面的闡釋，量也有多方面的闡釋，我在《經濟解釋》卷一用整本書處理了。我在某卷某章解釋過，需求定律可以替代邊際產量下降定律：同樣是一條向右下傾斜的曲線，而嚴格地看我們不能分辨日常吃的飯是消費物品還是生產要素。我也在某卷某章解釋過，需求曲線與供應曲線基本上是同一回事。

看似簡單的成本概念，當加上變化，處理這話題的《經濟解釋》卷二是一本更厚的書，而也屬成本的租值概念我寫到卷三、卷四去。交易或制度費用也是成本，其變化五卷《經濟解釋》皆涉及。成本概念與需求定律的關係只有一個重點：我們要把成本翻為價格，於是，成本變等於價格變，需求定律的威力就發揮起來了。換言之，我解釋過的複雜現象無數，但來來去去用的理論只是一條向右下傾斜的需求曲線，然後把成本（包括租值）的局限轉變闡釋為價格或代價的轉變。世事複雜，用那麼簡單的理論範疇，複雜的概念變化是無可避免的了。

在魯濱遜的一人世界中，有了上述的需求定律與成本概念，我們可以容易地解釋魯濱遜的所有行為。事實上，解釋魯濱遜的行為，需求定律與成本概念用不着多少變化。經濟解釋的主要困難，是魯濱遜的荒島增加了一個人！社會出現，競爭、產權、政治、制度、交易費用、租值消散，等等複雜話題，都一起跑出來了。我可以在一天之內教盡一人世界的經濟學——經濟學的困難全部起自我們生存的社會不止一個人。

無從觀察要推到可以觀察才能驗證

說到複雜問題，這裡我要簡略地再說曾經說過的。解釋現象要靠驗證假說：如果甲出現乙會出現，驗證是如果沒有乙不會有甲——乙不出現甲出現，假說是被推翻了。甲與乙等變量的增加帶來的處理方法研究院有教，這裡不說。這裡要說的有兩點，都重要。

其一是所有用作驗證的變量或現象必須是可以觀察到的。今天盛行的博弈理論的變量一般無從觀察，因而無從驗證。我們不要管沒有解釋力的理論。重要是在不可或缺的需求定律中，需求量是意圖之量，不是真有其物，無從觀察，所以需求定律的本身是無從驗證的。是大麻煩，要怎樣處理我在《經濟解釋》卷一細說了。這裡要指出的，是從不是真有其物的需求量推出要靠真有其物才可以驗證的假說，是經濟學趣味中的一個重點，而在推敲的過程中，簡單的理論用不出變化不會有什麼作為。把見不到的量推到可以觀察的量，從而可以驗證，不是淺學問。

解釋有事前與事後之分

其二，雖然在科學方法上事前推斷與事後解釋是同一回事，但處理的程序往往不同。一九八一年我推斷中國會轉向市場經濟走，是事前的推斷，源於當時我把交易費用這項局限一分為二，看到這二者的轉變，假設這些轉變是穩定的，必走市場經濟的路這個含意就推出來了。如果我當時觀察到的局限轉變不穩定，再變，我推斷的會錯。但這推斷的錯可不是理論上的錯，因為我的假說是基於指定的局限轉變大致上不會倒轉過來。科學的推斷永遠是基於指定的驗證條件（經濟學稱局限條件）有穩定性。當年我堅信中國面對的兩項局限轉變是穩定的。

　　另一方面，事後解釋是解釋出現了的現象，要追溯有關的局限轉變。驟眼看這會比事前推斷容易，因為知道現象已經存在。其實不易，因為有了肯定的現象，解釋的假說含意着的局限轉變在追溯中我們可能無意識地自欺欺人地選擇出來。樓價下跌是因為什麼呢？優質座位為什麼先滿呢？為什麼會有失業？每個觀察到的現象都有多個可能的解釋，牽涉到不同的局限轉變，而通常的情況，是找到假說需要指定的局限轉變不困難。問題是我們怎可以知道提出的假說是優於其他的呢？因此，知道現象出現然後推出假說時，我們要設法多找可以推翻這假說的不同驗證，不同的局限轉變要考慮。

　　我說過，科學不是求對，而是求錯但希望沒有錯。求錯是科學的趣味所在，在經濟學而言，以簡單的理論推出假說作解釋，不斷地求錯會教我們很多在理論與概念上的複雜變化。

　　二○○八年我寫好《中國的經濟制度》的初稿，寄到西雅圖給舊同事巴澤爾審閱。他回信說該文有趣，也重要，但為什麼我改變了？為什麼我不再問怎樣可以推翻自己提出的理論？我沒有回應。該文很長，而自己老了，拼搏了幾個月，實在累。但科學不容許我以這些藉口回應。

　　我在本節回頭再說在卷一解釋過的科學方法，又指出簡單理論要有複雜的變化，是要讓同學們知道，我們要討論的合約理論，牽涉到的永遠是社會中人與人之間的問題，是經濟學中最複雜的話題，因而要把理論推到最簡單的層面來處理。如此一來，複雜的變化無可避免。同學們要記住，我用的理論來來去去是需求定律與成本概念，但要注意我用出的變化。

第二節：競爭需要約束

老師阿爾欽被行內的朋友譽為產權經濟學之父，是應該的。要我選一篇關於產權的經濟學文章，我選科斯一九六〇年發表的《社會成本問題》。該文從權利界定的角度論私產，大手引進交易費用這項局限，是近代產權經濟學的中流砥柱。但我同意行內朋友把阿爾欽放在前頭，有兩個原因。其一是當一九五九年我進入洛杉磯加大讀本科時，阿師重視產權同學之間屢有說及——阿爾欽重視產權問題比科斯來得早。其二是阿師把產權帶到競爭那方面去，對經濟整體運作的關係看得較為全面了。

阿爾欽的口述傳統

阿師認為產權問題非常困難，當然對，而他自己只發表過一兩篇不大深入的討論文章。比較全面的討論應該是一九六四年他與 W. R. Allen 合著的 *University Economics*，今天回顧也不夠深入。阿爾欽的產權傳統，主要是他在研究院教價格理論時的口述。我聽了四次，而作為他的入室弟子，課堂之外常跟他研討。讀物不論，弗里德曼與科斯等算是同事的影響也不論，我的經濟學基礎主要是來自阿師的私下教誨。

阿爾欽認為，因為資源稀缺，社會一定有競爭，其中的遊戲規則是產權制度。市場出現的市價——以價高者得分配物品——是決定競爭勝負的準則了。阿師之見，稀缺（scarcity）、競爭（competition）、產權（property rights），是三個同義的詞。這些我在《科學說需求》解釋過了。

從佃農分成看到新天地

當年我認為阿師的這些觀點是經濟學的核心問題，所以寫博士論文時沒有依他的勸導，偏偏以產權為出發點處理佃農分成，得到的理論阿師高興。他沒有注意的，是在《佃農理論》第六章第四節我一腳踏中一個後來愈想愈重要的話題：如果資源使用帶來的收入有一部分沒有被界定為私人所有，該資源的使用會出現像公海捕魚那種非私產的效果。這是後來一九七四年我發表《價格管制理論》的前身。這個要點我在第四章細說了。

　　一九六七年寫好《佃農》，一九六九年我深入地分析公海捕魚的租值消散時，發現只要競爭受到約束，租值不可能全部消散。跟着的推論是，毫無約束的競爭人類會毀滅自己。一九八一年寫《中國會走向資本主義的道路嗎？》那小冊子時，我開始把租值消散與交易或社會費用畫上等號，也指出一個國家的憲法是合約。我把界定權利看作合約安排，認為中國的改革要從一種合約安排轉到另一種。我跟着把在中國觀察到的交易費用轉變一分為二，準確地推斷了這個大國會走市場經濟的路。至於我提出在眾多決定勝負的競爭準則中只有市價不會導致租值消散，則源於一九六九年起我考查香港的租金管制了。

等級排列的啟發

　　一九七九年的秋天我到離別了多年的廣州一行，見到幹部朋友的等級排列使我震撼。反應遲鈍，我要到大約一九八三年才驀然驚覺，知道以等級界定權利是一種減低租值消散的約束競爭的合約安排。如此類推，所有風俗、倫理、宗教、禮儀、法治等皆有約束競爭的含意，皆可作為合約看：或明或暗，或自願或強迫，一律含意着互相同意的約束。當然不是市場物品交易的那種合約，但互相同意的安排必定含意着某些權利是交換了。繼續推下去，約束競爭的費用是合約費用，因而也是交易費用，廣義地看應該稱為制度費用。再想深一層，這些費用的提升會減少租值，下降會使租值增加，因此，租值的消散可以作為制度或交易費用看，而制度費用就是合約費用。

不是任何人與人之間的競爭約束都要從合約的角度看，而是可以那樣看。好些時從合約的角度看增加了問題的複雜性，不可取，但有時從合約的角度看問題就變得清晰起來。好比中國起自一九七九年的經濟改革，從改變合約安排的角度看是高明的。例如從人民公社的大鍋飯制改作一九八三年興起的包產到戶制——是明顯的合約轉變。這樣看，一方面讓我們的注意力集中在資源使用權利的界定，另一方面這轉變帶到以市價作為決定競爭勝負的準則。交易費用因而下降，使人民收入或土地租值上升，我們能把問題看得清楚。

交易費用的比率要怎樣看

一九八一年寫《中國》那小書時，我指出以幹部等級排列權利的交易費用那麼高，能改制，轉用以資產排列權利，交易費用只下降少許國民收入會暴升。當時沒有誰相信我，而當一九八三年見到約束競爭的局限轉變明顯地加速，我說國民收入每年增長百分之五十不困難。不少人說大教授發神經。後來的發展證明我對，他們錯：八十年代中期，先起步的廣東有不少地區的每年國民收入增長高達百分之五十。今天回顧，八十年代我為中國的改革寫了不少文章，有沒有貢獻很難說，但說到推波助瀾我可能是天下第一把手。

交易或制度費用——也即是合約或約束競爭的費用——在國民總收入中通常是佔了一個很高的百分比。從這百分比看，農業一般遠比工商業為低，所以諾斯等人的估計，說先進的工業國家比落後的農業國家，在國民收入的百分比上有較高的交易費用。應該對。但遠為重要的看法，是同樣行業，約束競爭的權利局限有了增加效率的轉變，即是合約的形式改變了，國民收入或租值的上升含意着的是在百分比上，交易費用一定是下降了。交易費用的總值可能上升，但其百分比一定下降。

今天的中國，因為國民收入大升了，總交易或制度費用應該高於改革之前。另一方面，因為工商業發展遠超於農業，交易費用作為國民收入整體的比率也上升了。然而，把農業、工業、商業三者分開看，因為經濟效率各自增加，每項的交易費用在收入的比率上一定是下降了。

正如諾斯等人頻頻碰壁，在實際觀察上交易費用很難量度。邏輯與理念倒是清晰明確：把行業分門別類，經濟增長需要在主要的行業中交易費用佔收入的比率下降，因為這是代表着租值上升。不同的行業則難以相比。

讓我從最簡單的角度把問題解釋得深一點（一笑）。大致上國民的總收入可分兩部分：一是交易或制度費用，二是租值。前者也可以看為租值消散。當制度費用下降，租值不僅會上升，國民的總收入會被制度費用的下降推高了，使租值再上升。這是中國的經濟改革出現土地之價急升的原因。另一方面，因為這改革使百廢俱興，國民收入的大幅提升含意着的總交易或制度費用可能上升了。然而，把行業分開看，這些費用作為每個行業的總收入的百分比一定是下降了。

爭取利益可以毀滅自己

經濟學的起點假設或公理說，社會的每個人會在自己局限下爭取利益極大化。在這假設下，從我們日常經歷的局限看，合約或制度的選擇會朝着減低交易費用或增加租值的方向走。

很不幸，這不是人類歷史的經驗。雖然人類的生活一般大有進境——今天的人比一百年前的長壽多了——但增加租值消散的安排層出不窮。經濟學不容易解釋人類的不幸，因為政治的局限為何經濟學者一般是門外漢。

二百四十年前，斯密在《國富論》中，認為土地使用的制度安排永遠是朝改進效率或增加租值的方向走。他錯了。單是二十世紀，戰爭及近於毀滅人類的制度安排出現過多次。在中國，人民公社及文化大革命的出現就有這樣的不幸。今天，中東搞得一團糟，釣魚島或什麼圍堵中國的遊戲不是帶來很大的租值消散嗎？

我不是對人類持有悲觀看法的經濟學者中的少數。博弈理論在經濟學盛行了三十年，主要起自從事者體會到人類有自取滅亡的傾向。我的老師赫舒拉發寫的關於博弈理論的名著——《力量的暗面》(*The Dark Side of the Force*，是借用《星球大戰》一部續集之名)——當然也從悲觀出發。十多年前收到他寄來該書時，我回信，說：書名起得好！老師知道我這個徒弟不認為博弈理論有什麼解釋力。

第三節：資產四權

產權 (property rights) 的出現需要兩個條件。其一是資源要稀缺，即是人力、土地、木材等的獲取或使用需要付出代價。這也是說在代價或價格是零的情況下，供不應求。其二是要有人與人之間的競爭。在魯濱遜的一人世界有資源稀缺的情況，但沒有人與人之間的競爭，所以一人世界沒有產權這回事。

產權包括四種權利，有或沒有都是法律與經濟學的話題。

一是所有權，二是使用權，三是收入權，四是轉讓權。讓我略談這四種吧。

所有權不重要

所有權（ownership right）在經濟學不重要，但在西方的法律曾經是重要的。上世紀六十年代初期我研讀西方的法律歷史時，有點奇怪所有權的討論來得那麼抽象，往往長篇大論，但古時顯然比現代重視。我想到的解釋，是會走動的資產在古時比現代重要。古時，牛、羊等是重要的資產，不同的主人在草原放牧，牛或羊的身上要做上記號，被他人偷了，或大家的牛羊出現了混淆，打起官司，所有權的法律闡釋就重要了。今天，在法律上，所有權的概念不重要。房子是你的，在政府部門有註冊，就是你的。又或者有人偷了你收藏的畫，找到贓物，只要能拿出證據證明是你的，法庭會判歸還給你。又例如我的房子說是你的我無所謂，只要該房子的使用權與收入權屬我的。

使用權與所有權分離沒有影響

使用權（use right）重要。這就是科斯一舉成名而又足以傳世的淺問題帶來的要點：誰有權使用某一個音波頻率呢？一塊土地可以養牛也可以種麥，但不可以二者兼用，誰有權決定呢？科斯定律說不管土地誰屬，只要權利被界定了，土地使用的效果一樣，是指使用權。公海捕魚，導致租值消散，是指海洋的使用權非私有。要注意，使用權是我的，但通過合約的安排我可以給你用。這牽涉到重要的轉讓權，是後話。

一九八五年，我考查了中國廣東的承包合約後建議北京的朋友把所有權與使用權分離。有實例支持這個想法。上世紀六十年代在美國求學時，我從銀行借錢購買了一部小汽車。當

時的合約安排，是銀行為法定車主，我為註冊車主——借款還
清後我才是法定車主。但當我還不是法定車主之際，我用該車
的行為半點影響也沒有。另一個例子是香港的土地，源自英國
的傳統，到今天其所有權還是政府的，只是使用權屬樓主或業
主所有。年期可長可短，只要在到期時有明確的續期法則，使
用資源的人有或沒有所有權是沒有影響的。換言之，只要使用
權被界定得清楚，所有權不重要。倒轉過來，不管所有權界定
得怎樣清楚，使用權界定不清麻煩會湧現。原則上，政府持有
土地的所有權，徵收土地或役地作其他用途比較容易，對經濟
有利與否是另一回事。

收入權利界定不清也會出現租值消散

收入權（right to income）是指享受收入的權利，自用或
租出給外人也如是看。法律通常從錢債或欺騙這些方面處理有
關的問題，不是洋洋大觀的法律。錢債或欺騙等話題不是收入
權的重點。重點是價格管制、分成率管制，或與資源租值無干
的劫富濟貧的稅務等，一般會削弱收入權利的界定。說過了，
削弱收入權利的界定或多或少會導致削弱使用權利的效果，即
是多多少少會出現租值消散。換而言之，減少甲的收入權利，
這減少了的部分要界定清楚為乙所有才可以避免租值消散。這
也是說，在收入的權利上，要避免租值消散，資源使用可以帶
來的所有收入都要有明確的權利界定：好比一家合股的機構，
用股份處理是把收入權全部界定了的。

這裡我要再回頭略說本卷第四章談到的效率稅制的問題。
政府抽稅，會導致收入的權利界定不清而出現租值消散嗎？答
案是不一定，有兩個原因。其一，有些稅其實是租：政府把土
地租給你用，你不用不需要付"稅"，原則上土地收入的權利可

以全部界定得清楚。其二，算不上是租的稅——例如政府抽所
得稅——可以由政府說明用途。原則上，國民付稅可以視作購
買政府的某些服務。雖然強迫性的購買不及市場購物那樣把收
入的權利界定得清晰，但原則上抽所得稅不一定帶來因為收入
權利界定不清而出現的租值消散。政府抽稅導致收入權利界定
不清——從而出現租值消散——主要源於政府用抽稅的方法來
把國民的收入再分配。基本上，旨在把收入再分配的抽稅，政
府是無從界定這些稅收的權利的。是頭痛的問題，我會在分析
國家理論時再討論。

轉讓權是合約的關鍵

最後要談的是轉讓權（right to transfer，西方法律稱
alienable）。此權也，非常重要，原因有二。其一是轉讓權的
存在是市場合約出現的一個先決條件。西方的法律書籍對合約
法的處理遠比其他項目來得洋洋大觀——轉讓權包括的範圍甚
廣也。其二是人與人之間的資產轉讓權的存在，必定含意着該
資產有私有的使用權與收入權。倒轉過來，資產有私有的使用
權與收入權不一定含意着有轉讓權。有使用權與收入權但沒有
轉讓權的土地，是我個人給古時封建制度的闡釋。在某些情況
下，這種封建土地制的存在是為了要人民或勞動力附地而生。
本卷第五章寫國家理論時我會再討論附地而生的需要。有人與
人之間的轉讓權的資產必定是私產。我從甲骨文的釋文中知道
好些是轉讓合約，所以知道私產在中國很早就出現了。

說到轉讓權，我要舉起自一八六八年的日本明治維新的例
子。明治維新是人類歷史上可以大書特書的經濟發展，其增長
的神速不亞於英國的工業革命——只有中國起自一九七九年的
經濟改革能把明治比下去。一九六五年我考查明治維新的發

展，得到的結論只有一個重點：在土地既有使用權與收入權的界定下，明治維新把土地加上轉讓權。這個新取向促使附地而生的武士與收入偏低的農民湧到城市去，使經濟增長急升。

日本的明治維新與中國的經濟改革怎樣比較呢？我認為從持久高速增長這方面看，中國勝。這主要是因為中國在改革之前有不堪回首的人民公社與文化大革命，土地的使用權與收入權的界定遠沒有明治之前的德川時期那麼明確。換言之，中國改革的起點遠比日本明治的困難，但國民收入上升的空間也遠比日本當時的為大。在中國，通過農地的轉包（轉讓也）與城市的開放，農民大量地湧進城市始於九十年代後期，只幾年時間工作年齡的農民四個有三個轉到工商業去。明治的土地轉讓權帶來的現象在中國重演，後者人多勢眾，面對科技先進的世界，從無到有的差距遠比明治為大，我身在其中，天天跟進，看得清楚，可謂不枉此生！

本章寫合約的一般理論，本節寫資產四權，目的是要同學們知道合約要從權利的局限看。所有權不重要，可以不管。轉讓權重要，因為合約要有轉讓權的容許才能成事。轉讓些什麼呢？使用權與收入權。這就帶到下節的話題：合約的結構。

這裡要補充。說所有權不重要是說在協助生產那方面不重要，但在維護權力那方面可能重要，尤其是在人類科技發達之前的時代。我在本卷第五章第四節有比較深入的討論。

第四節：從合約結構看外部性理論的無知

記得童年時在香港某些商店內見到標示着四個字："出門不換"。這是說顧客選了物品，付了錢，交易終結，顧客拿着物品離開商店後，物品有什麼不妥商店概不負責。西方也曾經有同樣的安排，稱 caveat emptor，意指顧客購買時要自己小心，因為出門後商店概不負責。

只一價一量的合約沒有結構

今天，西方在保護消費者的法例下，出門不換的生意已成陳迹。香港也如是，只是中國內地還有出門不換的，雖然沒有標示了。這方面，我不認為西方先進，中國落後，因為同樣物品，出門可換與出門不換的價格不同。如果有選擇，我個人選後者——自己的時間費用高，懶得換來換去。我也認為要保護消費者的是利益團體，掛消費者的羊頭，賣自己的狗肉。證據是昔日的香港，同類的物品有出門可換與出門不換的兩種商店，售價略有不同，顧客大可選擇。

任何市場交易都通過合約，往往沒有寫出來。出門不換的"賣斷"合約只有一個價與一個量，是沒有結構（structure）的。物品交易可以有結構，例如分期付款或擔保質量的條件等，通常寫進合約去。傳統經濟學處理的是出門不換的那類交易，只有一價一量。不僅消費物品如是，生產要素的市場分析也是那麼簡單地處理：僱用員工或租用廠房等，傳統的處理是一價一量——短期或長期是用"一剎那"（one instant of time）的理念處理。只有一價一量的合約沒有結構，合約因而是不言自明的交易工具，傳統的經濟學絕少提及合約一詞。

合約經濟學的起源與試管的謬誤

"合約"一詞今天在經濟學常用，始於一九六九年我發表的《交易費用、風險規避與合約的選擇》。上世紀七十年代變得朗朗上口的合約分析起自不少人認為是我觸發的代辦理論（Principal-Agent Theory），但過了不久就轉到博弈理論那邊去。上世紀五十年代，博弈理論在經濟學熱鬧過一陣，主要用於功用量度與寡頭競爭的分析，其後失蹤。這理論在七十年代後期再出現，八十年代起熱鬧，主要是源於一九六九年我提出的卸責問題，一九七二年引進了阿爾欽與德姆塞茨發表的一篇大名鼎鼎的關於經濟組織的文章。再跟着就是威廉姆森的滿是"機會主義"等術語的作品。

當年我認為卸責、勒索、機會主義等只不過是説爭取利益極大化，説了等於沒有説，且無從觀察，不是科學應該用上的。我主張經濟學者要深入地考查真實世界的合約。寫佃農分成之後我體會到，如果不考查佃農合約的結構為何，怎樣監管，我們無從推測及驗證佃農分成與固定租金這兩種合約在資源使用上有什麼分別。

考查真實世界的合約安排不容易，但萬事起頭難，只要能深入地考查三幾種不同的，跟着的考查就變得駕輕就熟了。這解釋了為什麼當一九八五年初深圳政府提供不少工業承包合約的真實版本給我時，我只花幾個小時就知道發生着些什麼事，明白其中的困難，也知道當時的工業承包漏洞太多，不可以持續，還要修改。我也注意到當時中國工業出現的層層承包的合約安排，沒有感到奇怪，因為在西方及香港早就出現了。當時我認為，因為工廠是國有，管理是國營，不推行股份制工業承包不會有大作為——這觀點後來證明是對的。當時我可沒有想到，層層承包後來被擴張到不同層面的地區那裡去，促成我為之喝彩的中國經濟制度。

世界複雜，我明白經濟理論為什麼需要簡化世界。然而，這簡化的規則，是無論我們怎樣把世界簡化，引申出來的理論假説要足以處理複雜的世事才算是過關。解釋過了，我自己選走的路是用簡單的理論與概念，但補充着複雜的變化。這些複雜的變化不可以憑空想像，而是要基於複雜世事的觀察才引進理論與概念那邊去。我常用的需求定律與成本概念，其中的複雜變化全部是由複雜的世事翻過來的。當然遠沒有真實世界那麼複雜，但理論與概念的變化處理得對，一定要反映着複雜世界含意着的簡單規律。理論的簡化假設不能與世界的現實脫節。我曾經例舉在實驗室作實驗，如果指明要用一支清潔的試管，我們不可以用髒的試管而假設是清潔的。

回頭說出門不換的一價一量，或二價二量，我明白這是幾何或方程式的簡化需要，但這樣的簡化無疑與世界的一般實情脫了節。合約問題可不是在街上買賣蘋果那麼簡單，雖然買賣蘋果也是合約。是的，在合約這話題上，我認為傳統經濟學的"試管"假設是災難。有兩方面。

不知市價與漠視結構

第一方面，傳統的分析假設物品或服務有市價。我們知道在社會中，要獲取任何稀缺物品必定要付出代價。市價是代價，但代價不一定是市價。其中的主要分別，是市價出現在一個集中的市場，原則上競爭購買的人大家都知道大概的市價為幾。中國人說的"明碼實價"是說市價，雖然不是實價也算是市價。這裡的問題是在很多情況下，甚至是在市場中，我們不知好些物品或服務的市價是什麼。

一九三七年科斯發表《公司的性質》，其主旨說公司的出現是因為交易費用過高，市場不知價。這分析不少朋友認為是套套邏輯。我認為不是，後來一九八三年在自己發表的《公司的合約性質》作了詳盡的補充，本章下半部會再補充與申述。不知市價為何是一個大問題。我們不可以說不知市價就沒有合約。正相反，因為不知市價，合約的分析就出現了有趣精彩的變化。

　　第二方面，傳統的分析一般漠視了很多合約是結構性的。在街上跟小販買個蘋果，其合約沒有結構。購買汽車的分期付款與擔保使用期的合約有結構，但不複雜。我曾經提到多年前在美國租用電話有長達五百頁的合約，源於監管盜用與保護商業秘密，歷來沒有顧客閱讀。關於秘密的合約一律複雜，不是專家讀不懂，可幸在解釋行為那方面看不是那麼重要。是的，為了解釋現象或行為而考查合約的局限，關於發明專利或商業秘密的回報率很低，我不建議同學們嘗試。

租用或僱用的合約一定有結構

　　然而，凡是牽涉到生產要素的租用或僱用——例如租用廠房或土地，或僱用勞動力——有關的合約必定是結構性的。這類合約不僅普及，而且對經濟整體的影響重要。說這類合約必有結構，因為廠房（或土地）的主人，或勞動力的擁有者，不是把資產整體的使用權利賣斷，而只是出售一段時期的使用權。廠房可以被破壞，土地可以因為使用不當而貶值，勞動力可以言而無信，而僱主與被僱都不知對方怎麼樣想。各有各的利益需要維護，在合約訂下的有效日期之內雙方都要為自己的利益謀取保障。這樣，只一個價一個量的指定不足夠，有結構的合約就出現了。

　　在約定的期限內，合約結構針對的永遠是使用權的轉讓與界定，以及收入權的分配。這是在上節我先分析資產四權的原因。資源的使用與收入的分配是經濟學傳統的兩大項目，可惜這傳統漠視了合約的結構而變得漏洞百出！除非資源的轉讓一律以買斷、賣斷的合約成交，牽涉到有期限的使用權轉讓的合約普及，傳統還是以一價一量的方法處理是太不成話了。忽略合約結構的分析當然滿是問號：公司何物是問題，市場何物是問題，失業何解也是問題。經濟學傳統對解釋世事的興趣不大。

風俗禮儀是合約結構的一部分

同學們容易想像，如果一張租用或僱用合約要詳盡地維護僱主與被僱的各方面，該合約會是長得近於無法寫出來。另一方面，從中國的古文物中我們知道，租用或僱用的合約在發明漢字前就出現了。我們怎樣看古時的合約結構呢？我的看法，是風俗禮儀的發展、宗教道德的教導，皆協助了不言自明的合約的履行。源於英國的普通法（又稱不成文法），也廣泛地協助及界定了合約雙方需要履行的責任。好比普通法說，除非白紙黑字地寫明，租用房子的住客可以在牆上掛畫，但不可以把牆拆掉。居住使用通常會損害房子的行為普通法容許，過分的損害不成，什麼算是"過分"由法庭判決。

普通法是依照過往的案例作為判決的準則。此法在判案時可改，彈性比風俗禮儀等為高，可取；但因為牽涉到要追查很多舊案例，官司的費用也較高，不可取。一正一負，我們要怎樣取捨呢？我認為在傳統的以農業與手工業為主的經濟下，變革的需要不多，風俗禮儀較優；說到工業與科技的急速發展，轉變頻繁，以法律官司處理為上也。在曾經是東方之珠的香港，法庭的判案是西方的法律與中國的風俗一起並用的。風俗與法律是市場合約結構的一部分。

本章第二節寫約束競爭這重要話題時，我提到：

所有風俗、倫理、宗教、禮儀、法治等皆有約束競爭的含意，皆可作為合約看：或明或暗，或自願或強迫，一律含意着互相同意的約束。當然不是市場物品交易的那種合約，但互相同意的安排必定含意着某些權利是交換了。

社會風俗處理外部性

這就帶來本卷第三章第二節提到的那所謂"外部性"（externality）的胡鬧。基於一九七〇年發表的《合約結構與非私產理論》，我指出那些所謂無效率的外部性的變化層出不窮，分門別類是胡鬧的無聊玩意，而經濟學者是過於熱衷於改進社會了。這裡要說的，是在社會的多人交往中，有意或無意間一個人的行為會影響他人，而這些影響對他人有利有不利，說是外部性，需要政府干預，只不過是說這些影響沒有通過市場以市價成交。有什麼奇怪呢？政府怎可以干預那麼多？交易費用或干預費用由誰支付呢？

這裡提出的合約概念是廣義性的。市場運作的費用不菲：因為交易或訊息費用的存在無數的事項我們不知價。然而，沒有市價的合約不等於合約不存在。我在街上無意間碰了你一下，說聲對不起，你報以一笑，是一種合約形式的成交。雖然沒有市價，約束着我和你的行為是社會上的禮儀，或是風俗習慣，你和我都可以不遵守，但社會不會優待沒有禮貌的人。社會上人與人之間的無數行為皆以禮尚往來處理，何來外部內部之分了？

這裡要注意，我在上文說的關於市場合約的條款沒有寫得齊備，要由風俗、禮儀、普通法等作補充，這些補充當然也是約束，其實也是合約結構的一部分。我們不可以不考慮這些補充而能真的明白市場合約的運作。那些"偷"了我（一笑）一九七〇年發表的關於合約結構的思維的眾君子，寫出數學方程式洋洋大觀的"不完全合約"（incomplete contract）的論著，建議政府要干預這裡那裡的，是令人尷尬的學問了。至於說一聲對不起換得一笑的回報，也算是合約，因為是有風俗與禮儀約束着競爭才出現的互相同意的權利交換，但沒有市價，也算不上是有結構性的合約。當然，我們的社會還有盜竊、搶劫、互相殘殺等不幸，擾亂了社會的秩序——從廣義的角度看屬毀約。說過了，人類久不久有自取滅亡的傾向。

縱觀人類的歷史，我是傾向於認為風俗禮儀等屬於文化發展帶來的習慣或局限，補充着市場，且時日以世紀算，大致上對市場的經濟有助。問題是這些局限約束不容易改，往往增加了經濟結構需要急速轉變的麻煩。好比中國昔日的家庭制度，以農業與手工業為主的，受到西方的影響而要轉到工業與科技那邊去，三從四德的傳統應付不了子女們要離鄉別井，引進西方的法律治國嘗試了不止百年，今天看滿是不堪回首的故事。

以隔離理論看共用品

最後，我要回頭略說《科學說需求》第八章分析"共用品"這個話題，因為牽涉到的算價與不算價的情況，跟這裡分析的不知價與外部性有雷同之處。共用品（public goods）本來是經濟學的大難題，但二〇一〇年的一個晚上，靈機一觸，我把整個難題解通了。同學們要回頭再讀該章，這裡只談與外部性有關的那部分。

一個生產者出售物品，要把顧客隔離才可以收費！出售蘋果，不付錢的人拿不到，因為蘋果是私用品，不付錢不可以佔為己有——這就是隔離。聽鋼琴演奏，多人可以一起共聽，收門票是把不買票的隔離。這裡的問題是差不多所有的物品或服務，在不同的比例上是捆綁着私用品與共用品的特徵。私用品的一個主要特徵是有隔離之效。這樣，出售者會以私用品那部分出價收費，而共用品那部分的價值是捆綁着"私用"那部分，把後者之價提升。看我在《科學說需求》提出的例子吧：

　　嚴格地說，差不多所有物品都具有共用品與私用品的性質。例如欣賞鑽石是共用，戴鑽石是私用。這樣看，鑽石的成交也是一種捆綁銷售。市場一般偏於以私用特質的量度作價及量，因為比較容易隔離不付價的享用者，不像鋼琴演奏那樣，要用驗票員守在門口。這是說，鑽石以克拉量作價，欣賞的共用所值是算在該價之內。也有好些情況，因為共用品的性質存在，有價值的物品或服務難以量度，或無從隔離不付費的享用者，市場交易就談不上。同樣，一個蘋果可以吃（私用），也可以看（共用）。這裡的要點是：除了上文提到的"隔離"與"捆綁"這兩個協助收費的法門，私用品的需求定律可以不言自明地包含着共用品的利或害，但這些共用的質與量要假設不變。

　　一個貌美如花的女人在街上走，打扮得像仙女下凡，眾人看着，開心過癮，是共用品的享受了。為什麼收不到錢這個美人還要花巨資及時間來打扮呢？這裡的要點是：一個打扮得像鬼火似的女人，目的是把共用品捆綁着自己，從而提升身價，跟鑽石因為光澤高而升值的道理是一樣的。

　　同學們不要問老人家這個貌美如花的女人出售的是些什麼（一笑）！上述可見，說共用品有收費困難、需要政府干預的老生常談，是源於經濟學者把問題看得不夠全面，其實收了費他們也不知道。

還有一個有關的同樣令人尷尬的要點

　　再加一個要點吧：傳統的市場需求曲線，一般是個別需求曲線向右橫加。這是私用品的處理（共用品是把個別需求曲線向上直加），可不是因為共用品的性質少有，而是因為有隔離費用，市場喜歡以私用品的量作價。換言之，經濟學者做對了也不知何解也！

　　因為問題重要，我要再說鑽石與門票這兩個各走一端的例子。鑽石出售量度克拉、切工、色澤與瑕疵，四者皆私用性質，皆算價，雖然這些與"奪目"有關係，但奪目本身是共用品，不能把觀者隔離，無從算價——奪目所值算進了上述四者。聽音樂演奏的門票呢？本身毫無價值，被採用只是為了隔離不買票的不能享受屬共用品的演奏。捆綁着演奏，私用的門票的市場需求曲線是個別顧客的需求曲線向右橫加。世界多麼有趣！

參考文獻

R. H. Coase, "The Nature of the Firm," *Economica*, 1937.

R. H. Coase, "The Problem of Social Cost," *Journal of Law & Economics*, 1960.

S. N. S. Cheung, *The Theory of Share Tenancy*. University of Chicago Press, 1969.

S. N. S. Cheung, "Transaction Costs, Risk Aversion, and the Choice of Contractual Arrangements," *Journal of Law & Economics*, 1969.

S. N. S. Cheung, "The Structure of a Contract and the Theory of a Non-Exclusive Resource," *Journal of Law and Economics*, 1970.

S. N. S. Cheung, *The Myth of Social Cost*. Institute of Economic Affairs, 1978.

S. N. S. Cheung, *Will China Go Capitalist?* Institute of Economic Affairs, 1982.

S. N. S. Cheung, "The Contractual Nature of the Firm," *Journal of Law & Economics*, 1983.

S. N. S. Cheung, *The Economic System of China*. Hong Kong: Arcadia
Press, 2008; Beijing: China CITIC Press, 2009.

斯密的一七七六年工業革命正在英國發展得如火如荼，多種合約一起存在應無疑問。斯前輩身在其中，考查工廠，遺漏了合約的安排是經濟學後來發展的一個大損失。他知道有監管的問題，但沒有從合約的約束看就不容易帶到交易費用那邊去。

第六章：履行定律與市場現象

　　做學問有時要執着嚴謹，一絲不苟；有時要隨意揮灑，鬆弛一下。為了趣味我們有時不需要那麼嚴謹。好比在經濟學上我創立了不少"定律"——類聚定律、欺騙定律、玉石定律、收藏第一定律等，加起來可真不少，皆為興趣自娛，是否重要自己不管。創立定律不難：掌握着需求定律與成本概念，觀察世事，找到一些現象規律，認為不會錯，過癮新奇，定律就推出來了。

第一節：監察費用的規律

　　這裡要提出的"履行定律"是比較嚴謹的學問。簡單的，但有不簡單的解釋用途，而且走深一點變化多。首先要說的，是我對"量"的闡釋，以及"量"與"價"之間的微妙關係，是自己比較滿意的在價格理論上的一點貢獻。同學們不妨先回頭重溫《科學說需求》第五章第七節，寫《何謂量？》的。

　　履行定律說什麼呢？最簡單的說法，是如果物品或生產要素指定是以某量作價成交，購買的人需要付出的監察或監管費用會因為該量被算了價而下降，但沒有被量度作價的其他量的監察費用會上升。履行定律的主旨是：任何市場交易，因為交易或訊息費用的存在，個人爭取利益會出現不履行承諾的行為，或言而無信，甚或瞞騙，但量度了而作價的量，出售者會傾向於履行協議，因為量度費用（也是交易費用）是付出了的。

好比我曾經提到鑽石交易，今天被量度了而作價的"量"有克拉（即重量）、色澤、切工與瑕疵四項。但如果只算克拉作價，不量度其他，購買的顧客一般不用擔心克拉之量不足，但其他三項不管出售者怎樣說得天花亂墜，因為沒有度量算價顧客的考察費用一定是提升了。我們知道，今天，有了科技的協助與專業的準則，鑽石不僅量度四方面，皆算價，而且有名堂機構出證書寫明每項的質量——買一粒鑽石是買四個價的組合。

更為普遍的監察或監管麻煩出現在生產要素的交易。例如僱用員工，如果以工作時間算工資，員工報到與下班的時間被量度了，老闆不用擔心在時間上員工不履行合約指定的。員工的時間可不是產品，以時間算工資是因為時間的量度費用低，其概括的生產活動範圍廣。但員工出現的時間只是產品的委託（proxy）之量，老闆因而不能不監管員工的工作表現了。倒轉過來，如果員工以產品的件數算工資（稱件工，英語稱 piece-rate），老闆不用擔心件數不足，但因為員工偏於加速增加件數，粗製濫造，產品的質量如何則非監管不可。

被量度而作價的量，出售者傾向於履行合約，其監察費用因而下降；沒有被量度作價的量，出售者傾向於不履行合約，其監察費用因而上升。我稱之為履行定律（The Law of Contractual Performance）。有趣而又重要的問題是在市場競爭下，購買與出售的人會選哪量作價呢？

市價的出現不容易

讓我們先退後一步，把問題看得廣闊一點。首先要說的，是我們日常生活中見到農產品有市價，不會想到此價得來不易。農產品市場有數千年的歷史，而在中國也得到秦始皇統一度量衡的協助。但我們不要忘記，在開放改革之前，只因為政府這裡那裡干預，神州大地有三十年的長時日農產品沒有真實的市價。我們也不要忽略，在自己家中所有的用過一小點的舊物，大家一律不知價。

我曾經幾番提及，在無數決定競爭勝負的準則中，市價是唯一不會導致租值消散的。這是因為出價購買的人要先有產出，賺到錢，即是為社會作出了貢獻，才可在市場出價購買，不需要搞什麼關係等牽涉到租值消散的行為。但這是指物品或資產的價格在市場形成或出現之後的情況。然而，市價的出現不是沒有成本或費用的。政府干預不論，這些成本是交易費用，本身取代了物品或資產的租值的一部分，原則上可以作為租值消散看。毫無租值消散的情況是指交易或制度費用是零，在人類的社會中沒有這樣的情況。

市價的出現，社會需要付出費用代價。再撇開政府的干預不論，在競爭下，市場一般是朝着增加租值的方向走。這不是說要把交易費用減到最低，而是在市場競爭下，租值極大化需要物價與交易費用有最大的差距。這裡我要用這個理論框架來解釋以量作價中的“量”的選擇。分幾點說吧。

比率不變容易量度

第一點。讓我回頭再說鑽石這個大家熟知的例子吧。說過了，鑽石出售量度四方面，皆算價，而這四方面可作四個不同的“量”看。很明顯，量度克拉（重量）的費用最低。如果四項的比率永遠固定不變，市場當然只選克拉量度，不量度其他三項。只選克拉是因為此量的量度費用最低。但如果四項的比率不同，各有各的價值，只量度克拉，監察其他三項的質量會出現麻煩。

所有物品皆鑽石

　　第二點。所有物品或資產的量或質量跟鑽石一樣，有多方面的價值（或負值）要考慮。如果不同的"量"的比率永遠不變，那麼只選其中一種——量度費用最低的——就解決了選量作價的問題。不止此也：只要物品或資產的不同的"量"的比率不變，為了節省量度費用出售者大可選一個委託之量來量度作價，而這委託之量的本身是毫無價值的。例如購買維他命丸以每瓶作量算價，但瓶子的本身可不是維他命。我們只是假設瓶外貼着的維他命丸數量和成份說明不假，瓶子大小不同內裡的維他命丸數量一般不同。量度作價的是不能吃的瓶子，履行定律說瓶量一定對，但瓶內究竟是些什麼我們不敢賭身家。

聘請員工最麻煩

　　第三點。說到委託量這個有趣話題，經濟學最重要而又頭痛的是僱用員工或勞動力以時間或日期算工資。不是聘請消閒的伴侶，而是為了產出，但員工時間的本身對僱主是什麼價值也沒有的。用時間為量作價主要是因為容易量度與容易監察，但員工的產出表現如何，監察與衡量不僅費用高，加上健康、品性、智商等問題，牽涉到的合約結構往往很複雜，帶到獎金、分紅等的其他量度的準則去。我只能在本節過後及分析公司或機構時略說——勞工或人事話題複雜，是另一些專家的工作了。

選量作價的原則

　　第四點。選量作價，這裡提出的履行定律說選中的量會減少該量的監察費用。量度費用重要，監察費用也重要。另一方面，作價之量的選擇，對物品或生產要素的用途有廣泛概括性也是重要的考慮。我認為以時間算工資的合約那麼普及，不僅因為量度時間的費用低，而且時間對被僱的人的產出活動有廣闊的概括性，僱主於是選擇在約定的時間內提升時間之外的監察或監管的費用。這也解釋了為什麼在機構或公司內的高級職員或經理，從產出貢獻的相對上看，他們出現的時間不是那麼重要。因此，他們的僱用合約少算工作時間，多算對機構生意的貢獻。他們的合約偏於長期，着重於項目的成績，於是引進分紅、分股等條件。

結語

傳統的經濟學奇怪地沒有分析我認為是不可忽略的"選量作價"這個問題。這失誤看來是起於馬歇爾的傳統或明或暗地假設交易費用是零。但我說過，如果交易費用真的是零，不會有市場。市場是一個制度，而制度的出現當然要講交易或制度費用了。本節提出的"履行定律"是基於量度與監察費用的存在，即是把交易費用擺出來，放進市場去。憑着這定律我們可以看到不少傳統沒有注意到的問題，有趣的。

第二節：按件數算工資與收入分配

讓我轉到僱用勞動力或員工那方面去。這是新制度經濟學的一個大話題，不僅因為監管員工的費用高，也帶到市場分離、公司性質、失業原因等有趣的現象去。

本節我先論件工（即按產品件數算工資），下節說小賬（小費）。這兩種合約經濟學很少提及。件工重要，不是因為在社會經濟中有着了不起的位置，而是對經濟的推理思考有着關鍵性的協助。我自己從考查件工的運作中學得很多。西方的經

濟學者有發表過關於件工的文章，但這些作者對真實世界的件
工安排與運作近於一無所知。另一方面，小賬合約怎樣看也不
重要，選之討論是因為變化多，也牽涉到風俗習慣，趣味是有
的。

偉大夫人的失誤

我把件工放在一個特別的位置，因為那是唯一的直接量度
員工的生產力的合約安排，好些問題可以看得比其他合約清
楚。讓我從已故的英國大師魯賓遜夫人說起吧。夫人分析時間
工資採用效率單位（efficiency unit）。這與天然單位
（natural unit）不同。天然單位是一個小時算一個小時，一天
算一天。效率單位是一個小時的工作，甲產出二，乙產出四，
那麼同樣一小時，甲算一個單位，乙算兩個。當然，如果甲與
乙的生產力完全一樣——所謂同工同酬——效率單位與天然單
位是沒有分別的。這是傳統經濟學的不言自明的假設——這傳
統因而不分“效率”與“天然”。

夫人無疑是個天才，但她想錯了，之後的學者於是跟着
錯。錯在哪裡呢？依照夫人的想法：如果每小時甲的產量是
一百，乙的產量是二百，乙比甲多一倍，工資也因而高出一
倍。化作件工，產品以每件算工資，二元一件，甲的時薪是
二百，乙是四百，後者也比前者高出一倍。對嗎？不對！不對
是因為工人操作需要老闆提供廠房及機械設備，而這些設備有
成本，需要有租值的回報。撇開設備的損耗或折舊不論，如果
每件產品的設備租值是二角，那麼每小時甲對租值的貢獻是
二十元，乙的租值貢獻是四十元。然而，在市場競爭下，甲與
乙的租值貢獻要看齊才能達到租值極大化的均衡。這裡的含意
是在競爭下甲的件工工資或要下調，乙的或要提升，或二者的

合併，才能達到租值貢獻看齊的租值極大化的均衡。

產量比率與工資比率要分離

上述的分析解釋了為什麼在件工安排下，生產力較高的員工會獲配置質量較優的機械設備，而在一段指定時間內員工的產量超越某件數會獲得獎金。另一方面，如果一家工廠把部分工作發放出去給山寨或家庭產出，提供材料但用外間的設備，以件數算，每件的工價在外間的一定比在廠內的為高。

不僅件工工資這樣看，時間工資也要這樣看：一廠之內，生產同樣物品，機械等設備的成本不菲，為了爭取租值極大化，在比率上，工資的分離會高於工人生產力的分離。這也是競爭帶來的結果。原則是這樣，雖然在實踐上人事關係不易處理，也有不可漠視的量度及監察費用，而更麻煩是工會與政府的勞工法例的左右了。

邊際產量下降再闡釋

這就帶到一個不淺的問題，如下的分析同學們要讀得用心了。我們問：經濟學傳統的"邊際產量下降定律"是錯了嗎？答案是這定律沒有錯，但要看使用的人怎樣闡釋。在《收入與成本》第六章第三節分析老師阿爾欽對生產成本的貢獻時，我指出阿師提出的"趕急平均成本上升"這個建議不僅重要，而且是源於邊際產量下降定律。阿師的"趕急"思維牽涉到這定律之外的好些其他因素。

作為阿師的入室弟子，取經之後我偏於集中在邊際產量下降定律的本身想，在《受價與覓價》第六章第四節寫《邊際成本的擠迫效應》時，我指出沒有擠迫邊際成本曲線畫不出來。"擠迫"是純從邊際產量下降定律引申出來的變化，而我可能説得不夠清楚的，是邊際成本的上升（即是邊際產量下降）不是擠迫的本身，而是擠迫程度的增加。傳統的邊際產量下降是基於某些生產要素之量增加某些不增加，或不同生產要素的上升比率不同。我認為如果沒有擠迫——即是所有生產要素皆有某程度的閑置——邊際成本曲線畫不出來，即是邊際產量下降定律不能成立，不管不同的生產要素的比率為何。這裡要補充：如果只有一種生產要素（例如員工）沒有閑置，其他皆有，邊際成本曲線畫得出來，但因為是一條平線，邊際產量下降定律也不能成立。

從新角度看收入分配

有了上述的邊際產量下降定律的闡釋，我們可從一個比較新奇的角度來示範為什麼一個工人的生產力比其他的高出一倍，這個工人的時間工資或件工工資會比其他的高出不止一倍。假設一家工廠僱用一百個員工，所有設備剛好沒有閑置。現在該廠增加二十個員工，設備沒有增加，擠迫出現，每個員工的平均及邊際產量皆下降了，受到邊際產量下降定律的左右，但總產量還是上升了的。

假設增加二十個員工後不再增加，每個員工使用的機械設備再分配，每個一樣，比員工沒有增加之前少，但可以操作。因為擠迫程度不再上升，每個員工有自己的規定設備，只要員工不疲倦，不斷地產出不會受到邊際產量下降定律的左右。他的工作時間增加帶來的平均產量曲線是平線，邊際產量是同一平線，沒有邊際產量下降這回事。

上述可見，傳統對邊際產量下降定律的闡釋忽略了兩處，應該言明。其一是這定律定要從一個生產組織的整體看，不要從個別參與的成員看。其二是這定律不是基於擠迫的本身，而是基於擠迫程度的上升——即是說要從動態那方面看。另一方面，說到工人生產力的增加與收入的回報，我們卻要轉到"靜止"的狀態才容易看得清楚：同樣時間，一個件工工人的產量上升了一倍，如果收入只跟着上升一倍，算進設備成本產品的平均成本是下降了。工人之間對設備租值的貢獻要相等才能達到租值極大化的均衡，所以生產力較高的，如果不採用累進式的件工工資，引進獎金制是需要的。件工如是，時工也如是。個別件工提升件價看來比時工提升時薪容易引起糾紛，以獎金處理件工可以息事寧人。

新理念要再解釋

上述的分析用了一些新角度，我恐怕同學們讀不懂，要再解釋。不是深學問，但跟傳統的看法不同，同學們可能不習慣。

這分析牽涉到一個淺問題，答案是淺的，但因為要與傳統的邊際產出理論融合就變得有點複雜了。淺問題是：如果一個員工的生產力倍升，他的收入會否倍升呢？傳統的答案，從魯賓遜夫人的效率單位看，是會倍升。假設效率單位與天然單位相同，以天然時間算工資也有倍升的效果。然而，當我們把產出化為件工，以產品的件數算生產力，看得清楚一點，得到的答案是因為有機械等設備的存在，老闆要爭取租值極大化，在競爭下，員工的生產力倍升他的收入會高於倍升。

要證明這個高於倍升的邏輯推論容易，前文的假設數字是清楚的。困難是我們要證明這個高於倍升的論點與傳統的邊際產出理論沒有衝突：我們要證明"高於倍升"是這理論的一個含意。這證明不容易：原則上可用幾何或代數處理，但頗為複雜。我於是想出轉換一個角度看。意外的收穫，是這新角度讓我們看到傳統的邊際產量下降定律的一些新含意。

老生常談，經濟學有一個邊際產量下降定律（The Law of Diminishing Marginal Productivity），環繞着這定律的是一個邊際產出理論（Marginal Productivity Theory）。最簡單地看，這理論的核心是說：以時間工資僱用員工，這工資要與邊際產量的市價相等，從而達到老闆的設備租值的極大化。當然，這理論可以搞出很多變化，尤其是在生產函數那方面，到今天很有點花多眼亂了。

然而，我們這裡提出的只是一個淺問題，殺雞用不着牛刀。一個員工的產量倍升，其收入會怎樣呢？高於倍升是明確的答案，但傳統的邊際產量理論要怎樣推出呢？用函數處理當然可以，但要證明是源於邊際產量下降定律的約束不容易，何況方程式一般沒有經濟內容。我想到的方法，是把該定律再闡釋，然後分四步推理。第一，把邊際產量與平均產量的曲線翻為邊際成本與平均成本曲線──這是本科有教的。第二，從個別員工看，有了指定的設備配給，邊際與平均成本曲線是同一平線──即是從個別員工看邊際產量不會因為增產而下降。第三，一個員工的生產力增加，包括設備成本這平線向下移動，使產品之價與平均成本之間的差距增加。這差距的增加代表着設備租值的增加。第四，員工的生產力不同，因而各有各不同的租值貢獻；但這不是總租值極大化的均衡。為了爭取租值極大化，在競爭下員工之間的租值貢獻要看齊，老闆當然高興，生產力提升的百分率因而會低於員工收入提升的百分率。

從歷史傳統到不堪一擊

件工這種合約安排當然不是中國獨有。英國十八世紀的工業革命之前盛行的 putting-out 制度──即是商人判給家庭或山

寨產出——主要是用件工制。那震撼歷史的工業革命主要源於
紡織機增加了兩項發明——飛梭（flying shuttle, 1733）與珍
妮紡紗機（spinning jenny, 1764）。該機變得龐大，需要專人
維修，也需要多人集中合作，有規模的工廠就替代了家庭和山
寨。然而，我們今天知道，無論工廠怎樣龐大，原則上內裡的
工人的產出是可以按件數算工資的。

　　也是原則上，所有產品皆可全部以件工處理。上世紀七十
年代的香港，有些襯衫整件的不同部分——從剪裁到上鈕——
皆各有各地以件數算工資。另一方面，因為交易費用過高，好
些產出活動不能以件工處理。過於零散而又變化多的工作難用
件工，例如一個女秘書的多種瑣碎操作。多人合作時難以劃分
貢獻的情況難用件工。件工重視監察產品質量，而質量容易有
爭議的——例如設計——難用件工。

　　一九六九年在香港跑廠考查件工合約時，我重視接單工廠
收到新訂單，其產品的設計屢有轉變，每件新產品的每部分的
件工要怎樣算工資呢？得到的答案有幾方面。第一方面，新產
品的每部分通常有相近的前車可鑑，略作調整不難找到勞資雙
方同意的件工工資。第二方面，沒有前車可鑑或可鑑遠為不足
的新產品，當年香港的工業有些"動作"專家，計算某產品的
某部分需要有多少個大的及小的動作才能製成，而市場提供着
時間工資的訊息，件工所值不難算出來。還有是件工的工資可
以調校：操作了幾天工人認為太低可由一個代表與老闆洽商。

　　件工這種合約安排不容易出現失業。老闆收到訂單，遇到
不景時大可把數據攤開來與員工洽商，每件的工資所值容易算
出，有說服力，接不接單勞資雙方可以商量。更重要是件工這
回事，多有多做，少有少做，向上或向下調整是遠比時間工資
容易了。當年我見過一些件工工人在一段時期跑幾家廠：東家

不夠工作暫跑西家也。

　　有利也有不利，件工的安排遇到工會或政府的勞動法例可以變得很脆弱，不堪一擊。上世紀三十年代美國因為推行最低工資，件工立刻遭淘汰：工作較慢的選取最低工資，較快的轉開慢車也。今天的中國，因為勞動法的左右，件工主要是在勞動法管不着的山寨小廠存在了。上世紀九十年代，中國由高通脹急速地轉為通縮，樓房與其他資產之價暴跌，但經濟增長繼續急升。這是奇蹟，而我認為其中的一個重要原因，是當時中國的勞工合約的自由程度之高是我從來沒有見過的。製造行業的件工安排那時普及，要是有今天的管制勞工合約的法例，後果不堪設想。

第三節：小賬的變化

　　小賬又稱小費，而廣東俗語更有幾個其他稱呼。我最欣賞是香港的一些老人家還應該記得的"金梳"一詞，是英語 come shore（抵岸）的諧音。源於鴉片戰爭後，西洋鬼子群起乘船抵港，岸上的苦力就是這樣叫，而跟着食肆的侍應也這樣叫了。（後來"金梳"又以諧音翻為英語 cumshaw，殺進英語字典，解作賞錢。）小賬西方稱 gratuity 或 tips。有三類：自願、強迫、競投。自願的小賬是大家熟知的到餐廳進膳或到賓館住宿給服務員的，是多是少由顧客決定。強迫是硬性地在價單之上加一個百分率，通常加十或十五。西方稱服務費（service charge）。有點怪，因為服務費已經算進餐價或房價，怎麼再加呢？

競投小賬源於訂價偏低

　　我要先談"競投"這項小賬。沒有什麼值得多談，因為少人注意，要順便一提。一九七八年，老師阿爾欽訪港，在街上見到計程車招之不停。擺明是空車，但一律不停，問我何解，我教他雙手各出一指，打個"十"字，車會停下來。果然靈光，阿師回美後把這件瑣事幾番跟朋友說了。原來當時香港的計程車供不應求，用兩指打個"十字"是說在計程錶之價上補加十元小賬。這是競投的小賬了。

也是上世紀七十年代，日本東京的計程車也供不應求，也是空車招之不停。那裡用的手勢是拇指向下擺動，其意是說不要管旗下的計程錶之價，可以另議。東京的方法比香港的較有彈性，而據說外來遊客的另議價一般比本地人為高。這是競投。類同的現象，是在大都會的什麼名牌食肆，全滿時等位的顧客多，你找到經理，悄悄地把一紙百元鈔票塞進他的手中，必有奇效。這也是競投，暗標是也。

上述可見，競投的小賬出現是源於法定的價格偏低，或是價格不能及時調高。為競投而付的小賬是價高者得的市場現象。至於香港政府當年為什麼不多發放計程車牌照，說來話長，也不好說（一笑），但讀者可從港府今天頻呼樓價過高但不多放土地那方面想。

自願小賬有私產與共產之別

轉談顧客"自願"的小賬吧。上述的競投也是自願，這裡不同之處是沒有供不應求，顧客用不着在競爭下把小賬提升。同學要注意，價高者得是市場競爭的結果，但這裡說的自願小賬是顧客可以不付，或付多付少隨君便的那種。原則上，這種小賬的出現是要讓顧客判斷服務的質量如何，事後才付，又或者像進賓館房間那樣，先付一點小賬可期望較佳的服務。

我要從美國的餐館說起。西方的顧客到餐館進膳，朋友之

間各吃各選擇的菜式，各付各的賬，而膳後也各付各的小賬
了。這就帶到我稱之為"私產制"的小賬安排。在這安排下，
每個餐館的服務員或侍應各有被指定的桌子，凡被帶到某桌號
的由該桌的侍應負責，顧客膳後各有各的把小賬放在桌上，全
部歸該桌的服務員所有。侍應一般不會分給老闆，但往往要分
一點給傳菜的（稱 busboy）。可以不分，或分很少，所以傳菜
的時間工資有時是在職位較高的侍應之上。有些高級餐館，或
極為熱鬧的高檔次酒吧，侍應的小賬收入高得令人羨慕。這
樣，因為政府有最低工資的規定，老闆不能不付，在侍應不屑
最低工資的情況下會出現見不得光的向經理購買職位的情況。

吃中國菜的小賬安排不同。餐館生意不佳或通常只幾個顧
客一桌的情況還可以用小賬私產制（美國的中菜餐館如是），但
遇到生意興旺而又常見多人一桌的就要轉用小賬共產制了。幾
張大桌同時出菜，又或者多張小桌一起全滿，吃中國菜是難用
小賬私產制的。這是因為同桌的人吃同樣的菜，而每客吃的菜
式又遠比吃西餐為多，侍應分桌界定小賬私產制的服務成本會
遠比吃西餐的為高。換言之，中國人一起進膳是共產的吃法，
一道菜傳出，上有記號，傳到某桌，在鄰近的侍應就把菜放在
桌上，然後轉到其他的桌客去。吃是每碟菜一桌共吃——有筷
子的發明——傳菜與侍應是多桌共用，顧客付的小賬因而不能
不作為侍應共同擁有，先集中在一起交到老闆或經理手上，然
後攤分。老闆或經理偷取侍應的小賬偶有所聞。

這就帶到一個有趣的問題。水平相若的食肆，文化風俗也
相若，私產小賬與共產小賬相比哪方面的小賬會比較高呢？我
的推論是私產的較高。理由是在小賬作為私有的安排下，侍應
是較為集中於服務他或她分配了的桌子，可跟顧客多談幾句，
沒有像共產制那樣分散開來招待。顧客因而比較容易地記得侍

應，有點交情，付小賬時會較為慷慨。支持這觀點的證據是在
一些吃中國菜的餐館中，一家之內，有多桌的大廳，也有只一
桌的房間，後者的小賬通常在單價上有一個比前者較高的百分
率。

刀叉會影響風俗嗎？

另一個有趣的話題是我不能肯定的。西方用刀叉的食法、
個人自選的菜式、各自付餐費與小賬的傳統，可能在風俗上影
響了西方的人與人之間的錢算得比中國的清楚執着。例如讀書
求學西方的子女們可能要向父母借錢。是的，在西方，幾個朋
友在路旁買咖啡往往各自出錢。邏輯是刀叉的食法影響了各自
買咖啡，不是各自買咖啡促成使用刀叉。這裡的困難不單是過
於簡化風俗——雖然風俗的判斷一般要從瑣事看——而且在西
方的家庭中進晚膳，用刀叉，但桌上的食物是大家一起分享
的。

我不懷疑上述的自願小賬的出現有風俗習慣的成分。作為
約束行為的局限，風俗不容易處理。說這是因為風俗那是因為
風俗很容易是套套邏輯，說了等於沒有說。我們因而要客觀地
找尋否決風俗的行為。在美國時，我曾經幾次在四顧沒有居住
人家的公路上光顧名牌連鎖食店，問侍應他們的小賬大約是單
價的百分之幾。答案一律是百分之十至十五之間。這跟在人煙
稠密的市區的同牌食店完全一樣。不可能毫無風俗的約束，因
為沒有住家的公路，顧客光顧食店後一般在很長的時日不會再
光顧，給或不給自願的小賬對顧客的預期服務完全沒有影響。
不算進風俗，我們不容易解釋為什麼同牌的食店，小賬的百分
率在公路的與在鬧市的完全一樣。

小姐主人也

　　我也曾注意到，在飛機上的空中小姐不收小賬。一位熟知客機行業的朋友向我解釋，説空中小姐有空中女主人（air hostess）的稱呼，而主人不能收小費。言之成理。日本的餐廳也不收顧客自願的小費，得到的解釋是那裡的風俗文化認為招待得好理所當然，給小賬是把他們小看了。也言之成理。那是上世紀七十年代，日本的經濟如日方中，不知今天怎樣了。

強迫小賬是檔次宣言

　　現在轉談強迫或硬性的小賬。其實有調校的空間，只是出售者加在賬單上，西方稱服務費。算不算是小賬可以商榷。二〇〇二年寫《制度的選擇》的初版時，有一節題為《小賬安排深不可測》，是為這種毫不客氣的小賬才這樣説。後來我作了點考查，理解多一點，知道解釋的困難源於變化多，有好幾種因由。

　　讓我從賓館（又稱酒店）説起吧。顧客給服務員自願小賬之外，好些賓館説明在房價之上還要加百分之十或十五（見過最高是加十八）的服務費。奇怪，因為服務費已經算進房價之內，為什麼還要再加呢？這裡我注意到兩點。其一是這種硬性附加的服務費只是檔次較高的賓館才有，檔次低的沒有。其二這種強迫性的附加大約起於上世紀七十年代，較早之前沒有。

　　我於是想到如下的解釋。不是顧客自選的附加服務費是代表着檔次較高的一項"宣言"——雖然賓館提升房價已是檔次較高的提示，但附加一項強稱為服務費的有較為明確的檔次表達，而不同的賓館往往附加不同百分率是意圖表達自己的不同檔次。至於這附加的習慣起於上世紀七十年代，我認為是源於當時日本的遊客急升，使世界各地增加了不少賓館，檔次的層面變化是大幅地增加了的。

硬性服務費與服務無干

上述的解釋是猜測多於科學：我沒有機會推出嚴謹的假說而加以驗證。我只靠隨意的觀察來支持那樣的解釋。賓館收到的附加"服務費"有沒有特別界定的用途呢？有的，有三方面，皆與服務無干。一是作為賓館的管理階層的分紅所用；二是如果生意不景，賓館本身或其老闆可看為正常的收入，不分或少分出去；三是如果遇上會議的需求，房間數量夠多的，在議價時這附加的服務費可以減除。一九九七年作美國西部經濟學會的會長時，我要參與他們的年會選擇地點與賓館的討論。該會員多勢眾，因而讓我知道每年與賓館議價後不僅沒有附加服務費，且還可壓低房價。

轉到餐館的強迫性的附加，我知道通常是加單價的百分之十，也是餐館自己認為是檔次較高的。我的解釋是跟上述賓館的一樣，不同之處是遇上多桌的大酒席宴會時，要壓低菜價可沒有賓館壓低房價那麼容易。究其因，是賓館有空置房間時其機會成本近於零，但餐館的材料成本一般在菜價的百分之三十與四十之間，加上水、電、煤氣、臨工等可達百分之五十。餐館與賓館一樣，較高檔次的在強迫附加之後還有顧客自願給服務員的小賬。在餐館而言，這雙層增收香港最普及，可能因為香港的食客比較消息靈通，知道餐館的侍應是與強迫的附加無緣的。

我搞不清楚硬性的強迫"小賬"是先出現於賓館還是先出現於餐館。如果"日本遊客"之說是對的話，賓館應該先拔頭籌。

第四節：交易費用與市場分離

　　寫到這裡同學們應該有足夠的合約概念來讓我轉到較為複雜的層面——轉到公司（私營企業機構）與市場等層面。有趣的，但因為變化多同學們可能不習慣。我分四步由淺入深地解釋。

第一步：桃花源有看不見的手

　　想像一些以農業為主的小村落，農戶擁有自己的土地與人手。各戶把耕耘收穫拿到市場換取其他農戶的產品及手工藝品。可以沒有貨幣，物品交換的比率是市價。沒有政府干預，言而有信的市場交易有風俗禮儀的支持。風俗禮儀也界定土地與勞力皆為個別農戶所有。有議價的行為，而在競爭下物品交換的比率——即市價——被釐定了。界定產權的風俗禮儀要付出培養文化與教導後輩的費用，競爭議價有訊息費用。這些是制度或交易費用了。

　　上述情況我們要注意三點。其一是在市場換物可以看為購買物品，也可以看為購買土地與勞力等生產要素的貢獻——二者一也。其二是略轉角度看：產品市場與生產要素市場是同一市場，分不開。其三最重要：物品交換之價一方面代表着各家各戶的收入分配，另一方面是指導着各家各戶的資源或生產要素的使用。市價於是有雙重作用：決定各家各戶的收入；傳達着資源使用的訊息。沒有政府，用不着中間人，只是由價指導，而這就是斯密說的看不見的手了。跟斯前輩說的略有不同之處是：我們把制度或交易費用擺出來，然後放進去，不困難，但要引進風俗禮儀與市場競爭，二者都要付出費用或代價。

　　一千六百年前我們的陶淵明先生寫他理想的《桃花源

記》，有如下的話："見漁人，乃大驚，問所從來，具答之。便要還家，設酒殺雞作食。村中聞有此人，咸來問訊。……各復延至其家，皆出酒食。"我們知道陶前輩寫的是他自己嚮往的世界，但他描述的可不是天堂，也不是什麼人民公社，而是一個有私產有市場的小社會。前輩一定是先有真實世界的觀察，然後把其中他不喜歡見到的刪除。

二戰期間母親帶着她的七個子女逃難到廣西一條小村落，住了約一年。該村有數十戶人家，國民黨的鈔票信不過，少用——常用的議價單位是雞蛋。沒有紙張，沒有一個村民識字，而村長除了久不久作些仲裁工作也是個農民。村民活得苦不僅因為農戶擁有的土地面積小，而且當時的官兵與土匪分不開，日本仔的胡作非為遠甚於今天的釣魚島。該村有產品也有交換的市價，物品市場與生產要素市場也分不開，而每月總有一兩次村民把物品帶到墟市與其他村落的農戶交換。

今天回顧下筆，我也可以仿傚陶淵明，把該村的苦處一起刪除，想像中見到的就是一個沒有政府的由看不見的手引領着的小市場經濟，桃花源是也。

第二步：穿珠子實例可貴

讓我轉到《收入與成本》第一章提到的穿珠子的例子。舊例重提，因為是難得一遇的有啟發性的實例。

二戰後在香港西灣河的山頭有無數僭建木屋，屋中住着從內地來的貧苦人家，其中不少以穿珠子為業，從早穿到晚所獲甚微。有幾個看來也是一窮二白的經理人在該山頭到處跑，找尋懂得用針線的窮人操作。這些經理人提供不同顏色的小玻璃珠子、線，與飾物的圖案——通常是頭帶或腰帶之類——找勞動力用針線把珠子按圖穿成這些飾物。

　　一律是按成品的件數算工資，作為經理人的老闆也身無長
物：他們整天在山頭跑只為賺取勞動力與出口商之間的一點差
價或出口商提供的一點佣金。經理人的職務是傳達圖案與價格
訊息，及監察成品的質量。換言之，經理人的存在是為了減低
訊息或交易費用了。

　　跟上文提到的農村例子一樣，產品市場就是生產要素市
場，二者分不開。要是政府管制穿珠子的工資就等於產品的價
格管制。有趣是不可能有這些管制，也不可能有工會的出
現——理由是穿珠子的貧苦人家與身無長物的經理人老闆皆毫
無租值可言，從政府到利益團體一律對他們沒有興趣。

　　然而，與上文的桃花源相比，穿珠子這個行業有兩個重要
的變化。其一是看得見的手出現了：經理人是一個看得到的
人，是為減低訊息費用而出現，在價格指導資源使用與收入分
配之外再加一個經理人指導，雖然後者的指導不怎麼值錢。其
二是市場開始分離了。還沒有產品市場與生產要素市場這二者
的分離，但穿珠子的勞力與經理人之間是一個市場，經理人與
出口商之間是另一個——當然還有出口商與外國進口商的市
場，也有進口商與零售商的市場——皆產品市場也。穿珠子的
例子教我們：生產要素市場與產品市場可以是同一市場，沒有
分別，但產品的本身還可以有幾個層面的市場。

　　上世紀七十年代我作過大略的估計，香港的比穿珠子遠為
複雜的工業產品在美國零售一美元的，出廠價是十八美分。
八十二美分是交易與運輸費用，而十八美分之中還有出廠前的
交易費用！這就帶到斯密的分工合作的重要思維了。

第三步：斯密考查漏了一着

　　斯密一七七六年發表的《國富論》是經濟學最偉大的巨

著，可能永遠沒有另一本比得上。不可思議：該作的中譯今天
還在內地的暢銷書榜。寫了十二年，小字洋洋千多頁，註腳無
數，而卷一的第一章就開門見山地分析資源使用與收入分配，
這規格今天的經濟學沒有超越。

是那麼偉大的一個腦子，那麼精彩的學問，那麼慎重的推
理，你道斯前輩起筆是說什麼？說一間製針工廠的生產程序。
提出的主旨非常重要：分工合作，每個工人專於製針過程的一
小部分，產量的飆升驚人。斯密指出，每個人獨自製針一天不
可能造出二十根，就是一天造一根也艱難，但他考察的工廠，
十個人分工合作，平均每人每天產出四千八百根針！斯密的製
針實例沒有誇張。我在《收入與成本》第七章指出，如果算進
人類的發明——可以共用可以累積可以改進的發明——專業、
分工、合作，產量動不動以千倍計。這是推翻馬爾薩斯的人口
論的主要原因。

在同一章斯前輩討論了其他工廠，都有深度，但很可惜他
沒有討論合約的安排。我們因而不知道他見到的製針程序是用
件工，用時工，還是分成等合約。斯密的一七七六年工業革命
正在英國發展得如火如荼，多種合約一起存在應無疑問。斯前
輩身在其中，考查工廠，遺漏了合約的安排是經濟學後來發展
的一個大損失。他知道有監管的問題，但沒有從合約的約束看
就不容易帶到交易費用那邊去。到科斯把交易費用引進他的
"公司"討論時，已經是一百六十一年之後的一九三七年了。

我認為斯密說的製針程序不是用件工，因為他描述的是一
條生產線，而生產線難以用件工。原則上分工合作製針可以用
件工，正如香港昔日分工合作製襯衫是整件的不同部分用件工
制的，但不是工人坐在一條生產線。

　　如果產品的所有不同部分皆用件工，那麼產品市場與生產要素市場是同一回事，分不開，但跟穿珠子的情況有別，因為後者是一件發放出去給消費者的產品只由一個勞工從事，價格的傳達由外地市場的零售價傳到批發價傳到出口商傳到經理人再傳到勞工那裡去。但像襯衫那種有多個不同部分的產品，分工合作，每部分用不同的件工處理，價格的傳達牽涉到的訊息費用就高得多了。尤其是，一件襯衫的任何一小部分消費市場根本沒有價！整件襯衫在消費市場有價，但零碎部分消費市場一般沒有價。這樣，件工之價的釐定牽涉到的訊息或交易費用會遠高於穿珠子。可幸正如斯密指出，分工合作有巨利可圖，在沒有政府或工會左右的情況下以件工處理不同部分還會經常出現。

第四步：要素市場起於量度時間

　　讓我們回頭再看穿珠子這個實例。經理人提供原料後按件數付價的是產品，而這交易是產品市場了。可以作為生產要素市場看：除了珠子原料，產品是源於勞動力的操作與居住房子的一點地方。產品市場與生產要素市場還是分不開的。依照本章第五節提出的履行定律，經理人不用擔心珠子產品的數量不足，但產品的質量是否達到要求的水平則要監察了。議價費用之外，監察質量是珠子製成品的主要交易費用。

　　把珠子製成品的思維引申到整件襯衫的多個部分每部分由不同的工人以件工收費，每部分的件工之價不同，但還是議定了的。產品市場與生產要素市場也分不開。這裡，一件襯衫可以看為多個市場的合併，而整件襯衫的轉手成交可以看為另一個市場，但生產要素與產品市場還是分不開的。因為襯衫的不同部分多，每部分議價與監察的費用加起來一般是比珠子產品較高了。

問題的出現，是在本章第二節分析件工時我指出，過於零散的工作，或工人合作難以劃分個別貢獻，或產品質量容易有爭議的，難用件工處理。以時間算工資是一個交易費用較低的替代。時間工資的最大的交易費用節省是工人的時間容易知價：員工時間的工資大約為幾市場一般有價。聘請員工，互相同意了時間之價或工資，也同意了工作與其他待遇的大概，時間工資就成約。履行定律說僱主不用擔心員工頻頻失蹤，因為報到與下班的時間容易量度，但員工的工作表現如何需要監管，往往是頭痛的問題。政府的干預不論，採用時間工資主要是因為市價訊息費用的節省多於監管費用的提升。

用件工穿珠子與製襯衫的例子跟這裡提出的以時間算工資或生產要素之價有三方面重要的不同，相關的。

其一是以時間量度，僱用或租用生產要素，這要素市場與產品市場出現了明顯的分離。說過了，除非是僱用消閑伴侶，工人時間的本身不是產品，而租用土地或廠房皆以時間算價，時間的本身不是產品。時間之量只是一個委託之量，proxy 是也。購買生產要素的時間只是預期在約定的時間內有關的要素在產出上可以作出什麼貢獻。

同學們要注意，凡是要素市場與產品市場出現了明顯的分離，前者一定牽涉到時間。不僅是件工的例子無從分開這兩個市場，不量度時間算價，例如分成、分紅、獎金、把工程外判等合約——沒有按時間量度來算生產要素之價的——皆難以把產品市場及要素市場分開。在下一章我們可見，這分開只能從合約安排不同的角度看，嚴格地說是同一市場——我不要那麼早就把同學們弄得天旋地轉。

　　其二，以時間量度顯然是起於量度要素的產出貢獻而議價的交易費用太高，而時間不僅易於量度，在競爭下生產要素的時間市場容易有價。

　　其三，雖然穿珠子的經理人算是看得見的手，這經理人的主要職務只是傳達市價的訊息與監察珠子產品的質量。然而，當轉到不用件工的生產操作時，零碎的工作貢獻大家通常不知價。經理人作為看得見的手不僅要掌握產品與成本等各方面的價格訊息，不僅要監管生產要素的貢獻，還有是經理人要指導工人做什麼及分配非工人的其他生產要素的使用安排。這當然是看得見的手。

　　我曾經提及，我們不容易判斷是經理人僱用生產要素還是要素僱用經理人，雖然法律說是前者。是誰僱用誰不重要，重要的是在生產要素以時間算價的情況下，要素市場與產品市場出現了分離，在很多方面生產的運作沒有市價的指引，看得見的手就要忙碌起來了。

結語

　　說過了，在工、商業經濟中，交易費用佔了國民收入很大的一部分。可幸專業分工而合作帶來的增產利益是那麼龐大，足以彌補交易費用的增加而有餘。這是人類生活有所改進的主要原因。

　　漠視交易費用，經濟學可以解釋的現象或行為不多。但交易費用是很不容易處理的局限：說這是因為交易費用那是因為交易費用一般是套套邏輯，不容易推出可以驗證的假說。我們要先把交易費用擺出來，說明是源自何方，然後再放進肯定是有關的位置上。我自己的取向，是先從合約的角度把交易費用出現在哪裡的位置看清楚：合約怎樣改變有關的交易費用會跟着怎樣變，而真實世界的合約安排需要作實地考查。政府或機構提供的數字或資料一般不夠深入，也往往誤導。

　　我提出的履行定律重要，因為可教我們怎樣看世界，可以讓我們方便地把交易費用擺出來，然後放進適當的地方。我稱履行定律為合約第一定律。沒有那麼重要的第二定律是選擇定律，在《制度的選擇》的舊版中提及，本章稍後分析失業時會再討論。

　　我對傳統經濟學的失望可能說得太多了，可幸我對這傳統也表達過不少感激之辭。這裡我要向同學們指出，瓦爾拉斯的一般均衡方程式假設沒有交易費用，也假設有 N 種產品及 N 減一個相對價格。然而，我也曾指出，沒有交易費用不會有市場。本節的分析的含意，是瓦爾拉斯的方程式還有更令人尷尬的一面。瓦氏分產品市場與要素市場，但本節可見，這兩個市場之分要看合約的選擇，而產品類別的數量（那個 N）是由交易費用決定的。下章可見，這兩個市場不容易分開也用不着分開。沒有交易費用產品類別的數量無從決定。瓦爾拉斯的一般均衡是空洞無物的數學遊戲。

參考文獻

A. Smith, *An Inquiry into the Nature and Causes of the Wealth of Nations*. W. Strahan and T. Cadell, 1776.

J. Robinson, *The Economics of Imperfect Competition*. Macmillan, 1933.

R. H. Coase, "The Nature of the Firm," *Economica*, 1937.

S. N. S. Cheung, "Why Are Better Seats 'Underpriced' ?" *Economic Inquiry*, 1977.

S. N. S. Cheung, "The Contractual Nature of the Firm," *Journal of Law & Economics*, 1983.

我們可以推出一個有趣的市場均衡：四個邊際的兩方均衡。第一方是說過的：分工合作帶來的增產利益，在邊際上要跟交易費用的邊際上升相等。第二方是同樣的產出貢獻，合約選擇的均衡是基於不同合約的交易費用在邊際上相等。這四個邊際的"兩方均衡"是引進交易費用的市場一般均衡了——我稱之為四二均衡定律。

第七章：公司的合約性質

一九三七年科斯發表《公司的性質》。該文的初稿寫於一九三二，他二十一歲。"交易費用"（transaction costs）一詞起自科斯之前，但他一九三七的《公司》是第一篇開門見山地處理交易費用的經濟學文章。一九九八年我發表《交易費用的範疇》，其中有一句常被行內朋友提及："交易費用不是一個要獲得終生僱用合約的年輕經濟學教授應該嘗試研究的！"

作為真實世界的局限交易費用很複雜，要經過多年跑廠跑市才有足夠的掌握。科斯從交易費用的角度看公司時只有二十一歲，掌握不夠深入。一九五二年該《公司》文章被編進紅極一時的《價格理論讀物》，於是大名，但上世紀六十年代科斯多次投訴沒有人讀。

第一節：洛杉磯與芝加哥的思維

一九六七年我在洛杉磯寫好《佃農理論》，其中有一節題為《交易費用、風險規避與合約選擇》。跟着到了芝加哥大學，找到重要的關於中國農業的合約資料，我以該題發揮，寫了一篇長文，一九六九年在科斯主編的《法律經濟學報》發表。文中我提出"卸責"（shirking）與"風險規避"（risk aversion）這兩個後來自己沒有再用的理念來補充交易費用，分析合約，文中提到科斯的《公司》，說跟我的合約選擇是一脈相承的，不少行內朋友讀科斯的舊作後找我研討。

　　一九六八年阿爾欽造訪芝大，午餐中我向他提到正在困擾着我的兩個人一起抬石下山，雙方各把石的重量推到對方去的卸責行為。一九七二年阿師與德姆塞茨提出卸責需要監管，在《美國經濟學報》發表了該學報歷來被引用最多的文章。那時我放棄了"卸責"，認為難以驗證，轉向合約結構那方面想。

　　一九七一年，多倫多大學的 John McManus 到我西雅圖的家小住，我提到二戰時母親帶着我在廣西逃難，在河上乘船，由多個縴夫在岸上用繩子拉着行，有人拿着鞭子監視。母親參與議定縴夫的工酬，對我說拿着鞭子的人是縴夫們聘請的。我不能肯定母親說的是實情，但 McManus 把這例子寫進他一九七五年發表的關於監管費用與機構組織的文章，再跟着廣西的縴夫在新制度經濟學中成了名。

　　上述可見，公司的話題——即是為什麼會有企業這種機構組織——是相當混亂的思想發展。一九六七至六九年在芝大，我跟科斯成為好友，多次跟他討論他一九三七年發表的《公司的性質》。似淺實深，他多番向我解釋我總是覺得不盡明白。該文的主旨是清楚的：因為交易費用的存在，公司替代市場。但公司是怎樣替代市場呢？這問題我跟不少當代的價格理論大師研討過，他們說懂，但最後我認為他們不是真的懂。到了一九七一年，阿爾欽、戴維德、施蒂格勒、弗里德曼等人皆認為科斯的公司解釋牽涉到沒有什麼解釋力的套套邏輯。

　　一九八〇年，科斯要退休，《法律經濟學報》徵求文章為他的榮休出版一本結集，我在被邀之列。一九八一年底我寫好初稿，題為《公司的合約性質》，是在科斯一九三七的《公司的性質》加進"合約"一詞。徵集文章推遲了時間，該結集一九八三年四月才出版，我交出去的被放在首位。科斯讀後來信，說那是他多年來讀過的一篇他學得不少的文章，可惜在大讚之後他又説：不同意我説的公司與公司之間不能分開。我提出的"公司無界説"巴澤爾當年肯定是對，但一九九〇年在瑞典舉行會議時，集中着當代搞新制度經濟學的朋友，發言的幾個皆不同意公司無界。再後來楊小凱不僅同意，而且説在一些商學院我的看法成為一個新項目。

發表了的文章我不再跟進，認為自己再也管不着。但我非常高興戴維德託朋友帶來一個口信，説：公司何物終於給史提芬畫上了句號。戴老這樣説，只他一個就足夠了！

公司理論與公司無干

經濟學有一個熱門題材，稱 Theory of the Firm，關於生產成本與在競爭或壟斷的情況下的價格釐定。屬價格理論的核心分析，搞得一團糟，我在《收入與成本》與《受價與覓價》中清理了。然而，奇怪地，那所謂 theory of the firm 是關於生產及訂價，與那個 firm 字無干。我把"firm"譯作"公司"非常恰當。內地譯為"企業"（enterprise）不對。中語"公司"一詞源自莊子，意思是"聚多人共同運作"。企業可以只有一個人，公司不可以。

英語 firm 字的來源不易考究。字典解"確定"，古老一點解"簽名"。科斯認為 firm 可能源自法文 fermier，解中間人或農民。英語 farm out 解"判出去"——英國早期的 tax farming 是指政府抽税判給代理人。這與僱用農民或租土地給農戶有相近之處。可見 firm 這個字不是指生產，而是指一種處理或安排的方法，或一種組織。

奈特的貢獻

科斯的"公司"思維源自他敬仰的芝加哥大學的奈特。

一九三一年他拿着獎學金造訪芝加哥，聽了奈特幾課，不同意，苦思之後寫下了《公司的性質》的初稿。早上十年的一九二一，奈特出版了他的博士論文《風險、不確定與盈利》，絕對是經典，科斯背得出來。奈特認為"風險"（risk）有概率，可以買保險，但"不確定"（uncertainty）則無從估計，因而不能購買保險。我認為這二者是同一回事，分不開，而原則上任何未來的事項皆可買保險。説某些項目沒有保險市場不奇怪，因為原則上可以成市但實際上沒有市場的項目比天上的星星還要多。

在"公司"這話題上，奈特的貢獻雖然不對，但重要。他認為因為有風險的存在，一個企業家或老闆的出現，是用承擔風險的方法來賺取剩餘收入，residual earning 是也。即是説，一個老闆把不同的員工集中在一起從事生產，大家一起謀取斯密説的分工合作帶來的巨利，而在有風險的情況下老闆保障每個員工有固定的收入，自己承擔風險，賺取的剩餘可以是正數也可以是負值，在這樣的安排下公司出現了。奈特之見，是盈利（profit）只能在有風險的情況下出現。那重要的風落盈利（windfall profit）概念是奈特的發明，不僅對，而且重要。盈利與利潤不同，後者是在競爭下決定了的應有的租值或利息回報。

奈特提出的解釋公司何物的困難，是他提出的剩餘（residual，不是馬克思的 surplus value），雖然往往在公司出現，歸老闆所有，但公司的出現不一定有正或負的剩餘。分成合約沒有剩餘，分股屬分成，也沒有剩餘，而我們知道很多小生意的所謂"埋堆"是用股份制，不僅每個參與者沒有剩餘可取，而主事的大老闆可能要自己先拿一個固定的工資，其他讓股東們分吧。

上述可見，有沒有剩餘（或負剩餘）的出現要看合約的形式是怎樣的。我們要問的是為什麼有時採用這種有時採用那種合約，不能說因為採用分成合約公司就消失了。

科斯問得好答得不清楚

轉談科斯一九三七的“公司”之見，其貢獻主要是問得好，而我認為在關鍵上他也答得對。可惜他沒提出他後來認為是重要的源於我的“委託量”這個理念，也沒有注意到工廠之間互相發放工作的現象。我知道西方有互相發放的情況，在今天的中國很普及。

一個生產者可以用自己擁有的生產要素從事，可以把自己擁有的賣斷給外人，也可以通過合約，把自己擁有的生產要素的使用權利出售，讓外人使用。後者不是斷權的成交，只是在約定中資源或生產要素的局部權利讓他人使用，從而獲取收入回報。科斯分析的公司源於這局部使用權的轉讓。他問：為什麼一個生產要素的擁有者會選擇讓一隻看得見的手指導？這即是問：為什麼一個有生產力的人選擇去做“僕人”或“奴隸”呢？斯密的分工與增產的論點眾所周知，但為什麼選擇放棄斯密的由市價指導的看不見的手，而讓一個經理人的看得見的手指導？為什麼自甘為奴？科斯的答案是因為交易費用的存在，市場不知價，以公司替代市場可以減低交易費用。

我認為不知價的論點是對的，但在上世紀七十年代不容易有說服力，容易使讀者想到套套邏輯那邊去。我在前文解釋了不知價的理由，過後會再補充。很淺的問題，有時要用很長的時日才有清晰的答案。說實話，科斯一九三七年對“不知價”的解釋不是那麼清楚，主要是說一件產品的不同部分由不同的員工處理，每部分算價交易費用過高，多項交易轉用一件製成品處理會節省費用。科斯含意着的是以時間算工資，他可沒有說出來，而時間只是一個委託之量他也沒有提及，需要處理的監管問題沒有處理好，因而受到阿爾欽與德姆塞茨一九七二年的質疑。

更為嚴重的缺失，是雖然科斯在他的《公司》大文中提到"合約"一詞，他可沒有說是什麼或哪種形式的合約。可能是受到斯密的影響，但漠視了合約的結構與合約的選擇，公司何物不能有滿意的解釋。下節可見，引進合約的選擇，不知價是選擇的結果！

卸責論調的興起

科斯的《公司》之後關於公司的文章不少，看不到精彩的，但一九七二年阿爾欽及德姆塞茨聯名發表的《生產、訊息費用與經濟組織》不可不提。今天看，阿、德二氏之作比科斯一九三七年的還要大名。

阿、德二氏的大文的出發點是卸責，源於一九六八年在芝大的午餐中我向阿師提出的我想不通的兩個人抬石下山的問題。原則上兩個人一起抬石比一個人獨自抬的重量高出不止一倍，聯手合抬有着數，但合抬之際，雙方皆有意圖把重量推到對方去，在競爭下合抬的重量如何決定是個難題。

我沒有讀過阿、德二氏發表時的文章，但該文數易其稿時每稿都寄來給我拜讀，作點建議。記得該文沒有提到抬石的例子，但有提及我一九六九年發表的《合約的選擇》，而該文提出的卸責及需要監管是他們的主題。我記得在他們的文稿中有提到二人抬物上貨車的例子，也提到狩獵，獵者分開包圍，不讓獵物逃脫。也記得有捕魚的例子：有人駛船有人捕釣。可能因為這互輔產出的觀點夠新奇，阿、德二氏之作無疑影響了博弈理論的捲土重來，雖然他們跟我一樣，對博弈理論沒有興趣。

今天回顧阿、德二師之作，我認為他們的互輔合作例子，跟我提出的二人抬石的例子一樣，皆與斯密一七七六年描述的製針程序沒有分別！一群人坐在生產線製針，雖然每部分不同，但一起操作總產值會遠比各自獨立產針加起來為高。這樣，除了老闆自己要收取的那部分，餘數作平均分配，或採用大家相同的時間工資，一個偷懶或卸責的員工可以誇大自己製造的部分的困難，要求老闆在該部分多加人手，而這個懶人會因為其他員工的勤奮而得享一點甜頭。

漠視合約安排難以驗證

這裡的問題是在市場競爭下，員工的行為與老闆的應對要看合約是怎樣安排。如果以時間算工資，你偷懶，或誇大工作難度，老闆見監管費用過高會轉用另一個人。如果員工不是一起坐在生產線，產品的各部分有足夠的數量，用件工，老闆會轉向監察產出的質量。換言之，質量如何也可以卸責，老闆或經理人要監察哪方面要看合約怎樣安排，而合約安排是阿、德二氏的大文忽略了的。

我從來沒有說過人不會卸責，不會偷懶、恐嚇、勒索等今天引進了博弈理論的行為，但我認為這些行為難以觀察，無從量度，所以不容易甚至不可能推出可以被事實推翻的驗證假說。我認為轉從不同合約的角度看我們要解釋的容易得多。別的不說，單是我提出的履行定律，我們可從合約安排的角度看哪方面需要議價，哪方面需要監管，而議價費用與監管費用怎樣衡量是不難排列高低的。從合約的角度看，加進競爭也遠為容易地推斷哪方面的監管或訊息費用——即交易費用——孰高孰低了。是的，從合約結構及其轉變的角度看，我們可以知道訊息及監管費用——交易費用——的或增或減在哪裡出現，看不到的卸責等意圖於是成為看得到的合約與執行的含意，用不着提及。

在重點上科斯對

說到科斯與阿、德二氏的兩篇二十世紀的關於制度經濟學的大文，他們雙方不同意我當年站在中間。輪到我自己寫“公司”時我不能不考慮他們的分歧，要接受哪方呢？還是把他們兩方皆否決？細想之後，我接受科斯提出的要點，否決阿、德二氏。這是在一個關鍵重點上的判斷。

科斯的重點，是公司的出現源於市場不知價。阿、德二氏的重點，是多人機構（公司也）的出現是因為合作生產有卸責行為，需要監管。我認為科斯對，因為如果凡事知價，從產品的微小部分到監察員的微小服務也知價——後者是說看得見的手也由市價的看不見的手指導——斯密的分工合作可以全部通過市場的價格機制來處理。這不是說所有交易費用是零，只是說如果價格的訊息與議定沒有費用不會有公司。引申到阿、德二氏的主題，我的看法是不知價會導致偷懶或卸責，不是偷懶導致不知價。

我同意科斯的不知價的論點，但不同意他說因為不知價公司替代市場。我的看法是因為不知價不同形式的合約會互相替代。是不同合約的替代，不是公司替代市場。我更不同意科斯說的在生產活動上公司之間可以劃分界線。這些不同意的觀點我會在下兩節再申述。

是多年之前的往事了。奈特一九七二年以八十六高齡謝世，當年我有幸認識他。阿爾欽與科斯二〇一三年謝世，享年九十八與一百零二。德姆塞茨八十五，還健在。最年輕的我也是個古人，累了。

第二節：公司與市場是同一回事嗎？

作研究生時我讀不明白科斯說的“公司替代市場”。一九六八年在芝大得到科斯親自解釋也不認為真的懂。為此，一九六九年的暑期到香港度假時，第一時間我到那裡的工廠考查件工合約的運作。得到的收穫我在第六章第二節寫過了。

為什麼我重視件工呢？因為這種合約剛好站在科斯說的“公司”與“市場”之間。件工在工廠之內出現，屬科斯說的公司，但正如我在穿珠子的實例中指出，件工合約是產品市場！推理是：如果一間工廠全部用件工處理所有產出——原則上可以——公司與市場豈不是同一回事？何來公司替代市場了？考查件工的收穫比我事前期望的大，因為讓我看到傳統的產品市場與生產要素市場的分析近於到處都錯。

擦鞋小孩給我上了一課

該暑期時來運到。一天下午在灣仔路旁我坐在一個曾經裝載水果的木箱上，要一個當時香港還容許的小孩子擦我的皮鞋。說好價是一港元，當然是左、右的鞋子皆擦，但當該孩子動工擦我的左鞋時，另一個同樣拿着簡單工具的孩子，二話不說，擦我的右鞋。我問：“怎樣算錢呀？”“給我們每人五角吧。”其中一個回應。不明白他們的行規，當我發覺這兩個擦鞋孩子互不相識，如中電擊，突然驚覺：這就是科斯說的市場了！我想，如果左足穿鞋右足穿靴，斯密的看不見的手不可能運作得那麼好。這件瑣事促使我回頭再讀科斯一九三七年的《公司的性質》，明白多一點，但也認為他提出的“公司替代市場”這個主要論點是錯了。

　　上述的兩個擦鞋孩子教了我們什麼呢？四點。其一：孩子各擦一隻鞋，皆有價，是市場，但沒有一個公司組織的存在。他們是各自產出然後賣給我，正如街上有多個小販我每個購買一點。其二：生產要素市場與產品市場分不開——我付的擦鞋錢既是購買鞋上的光亮，也是購買孩子的勞力。其三：那兩個孩子是合作，也算是分工合作，只是沒有斯密的製針工廠那樣能因為分工合作而使產量大升：兩個孩子的擦鞋時間加起來升了一倍，鞋的光亮面積升了一倍，但顧客的時間是節省了一半。原則上，市場的運作——單是通過市價的看不見的手——可以協助分工合作而使產量大升，在真實世界有不少支持這看法的例子。另一方面，有好些我們提到過的事項，因為交易費用的存在，市場不知價，看不見的手失靈，而這就帶到科斯一九三七之見了。

　　其四：孩子擦鞋的例子，顯示着交易費用是很低的。市場知價，行規說五角錢擦一隻不用問，而四十多年前的香港，孩子們擦鞋顯然是有着他們的風俗與禮儀，不言自明地約束着他們彼此之間的合約安排。至於政府後來干預，禁止孩子們擦鞋，理由當然甚多，但政府歷來的干預一律理由甚多。孩子在街上擦鞋這個行業，不會比發明皮鞋的歷史來得短吧。

產品市場與生產要素市場不易分開

　　這就帶到一個有趣的典故。一九八二年五月我轉到香港大學任經濟學講座教授兼系主任。只到了那裡一個星期，一位同事申請升職，作為系主任我是五位裁判委員之一，會議時不能一題也不問。知道這位同事專研生產函數，我問：在街上你光顧一個小孩讓他擦你的皮鞋，事後你給他兩塊錢，這是購買他的勞力，還是購買皮鞋上的光亮？該同事答不出來，因而不能升職，使我耿耿於懷久之。

一個經濟學的諾貝爾獲獎者可以答得妥當嗎？不一定，因為傳統的經濟學老是教錯了方向。正確的答案清楚簡單：二者都是，那兩塊錢既可看為購買小孩的勞力，也可看為購買皮鞋上的光亮。生產要素市場（小孩的勞力）與產品市場（鞋上的光亮）是同一市場，任何一個角度看都對。

我們可在擦鞋這個例子多走一程。街上的擦鞋小孩是獨行俠，但我們知道好些城市有擦鞋的小店子。現在假設這擦鞋店子的老闆僱用小孩擦鞋，每對以件工算工資給小孩，但顧客之價要略高一點，作為店子的租金與老闆自己的報酬。這例子還是跟上述的一樣，生產要素市場與產品市場是同一市場，而老闆僱用多個擦鞋小孩也應該如是看。

現在讓我再加轉變。如果小店老闆僱用擦鞋小孩不是用件工合約，而是用時間工資合約，即是工資以時間算，有什麼分別呢？一個明確的分別，是合約的性質不同，但基本上是同一市場。但我們也可以說因為合約不同而市場有別：件工合約是購買產品，時工合約是購買時間。顧客購買皮鞋的光亮與購買小孩的時間基本上是同一回事，但因為合約不同，其監管與履行有別，說是兩個不同的市場也無不可。尤其是，當引進我提出的履行定律來考慮監管的問題，從兩個不同的市場看會比較方便。

無可置疑，不同合約的選擇是為了減低交易費用——包括監管、訊息等費用——從而增加老闆店子的租值與被僱者的收費。一般而言，時間的量度費用低，但員工的表現如何其監管費用不菲。件工有質量審核的麻煩，而更頭痛是如果員工的生產貢獻零碎，議訂件工之價的交易費用容易高得無從處理。看這些問題我喜歡先從履行定律入手，然後從幾方面看選哪個量會有怎麼樣的交易費用與租值的變化。當然不易，有時甚難，但趣味性高，而推斷或解釋現象往往如有神助。

世界複雜，當我們離開了擦鞋小孩這個簡單例子，轉到斯密的多人分工合作的製針工廠去，再離開斯密的工廠，轉到產品複雜而又變化多的工廠去，我們會見到合約的安排千變萬化，單是僱用勞工就有件工、時工、年薪、分成、分紅、獎金等等的變化。頭痛嗎？那當然，但有趣，經濟學可以引用的解釋原則都是簡單的幾項，選出有趣的現象，重視細節，憑想像力發揮一下，足以傳世的文章不是那麼困難。

從最簡單的角度看，公司的定義只不過是多過一個人的分工合作的組織。

傳統分析難圓其說

上述解釋了為什麼多年以來我很不滿意那所謂微觀經濟學的分析。這分析把產品市場與要素市場分為兩個不同部分處理，但沒有解釋為什麼會是這樣。說交易費用是零不對，說交易費用不是零卻沒有說是些什麼。我自己要經過多年才意識到那所謂要素市場是基於不以產品之量算價，但如此一來多種不以產品算價的合約，傳統的分析不知要放進哪個市場去。要是我們從合約的角度看問題，知道不同合約的採用需要解釋，交易費用這項局限不可能遭到漠視。這樣處理，要素市場與產品市場的區別就變得可有可無，而經濟制度的運作就看得清楚多了。

生產要素市場的出現，從以時間之量算價的角度看，我們可以接受。公司的出現要怎樣看呢？雖然科斯以“不知價”來解釋看得見的手的出現是對的，他可沒有說公司是什麼。事實上，在他的《公司的性質》的原文中，有一個奇怪的註腳："我們不可能畫一條清楚的界線，來決定有或沒有公司的存在。"更奇怪是科斯不同意我提出的公司之間沒有界線劃分。

公司之間有沒有界線劃分是一回事，公司究竟何物是另一回事。傳統的公司理論（theory of the firm）說"公司"只是一個生產單位，跟大有爭議的公司性質所說的公司不同。從奈特到科斯到阿爾欽與德姆塞茨等人的爭議看公司——從他們的字裡行間作闡釋——我找到的自己滿意的公司定義如下：需要的原料不論，通過公司而面市的產品或服務，一定是多過一個擁有生產要素的參與者合作才產出的。重點是要先合作，有了產品才面市。也奇怪，同樣是那一組人，由施蒂格勒、戴維德、科斯等人倡導的工業組織（industrial organization）主要是教生產成本與反托拉斯，合作是另一個話題。他們倡導的工業組織研究不重視合約。

第三節：不知價的原因與四二均衡

我認為公司性質的整個話題是源於斯密的製針工廠。同量的生產要素，分工合作動不動可使產量上升很多倍，是今天的世界多了很多人但還可以一起生存的主要原因。市場的運作，通過市價的指引，可以協助分工合作，正如上文提到的兩個擦鞋孩子是分工合作，通過市價這看不見的手的指引。擦鞋小孩的分工合作只加速了擦一雙鞋的時間，使產品所值增加。然而，原則上，市價的指引可使分工合作大幅提升產量。另一方面，奈特注意到，分工合作可以通過一家公司組織處理，但他提出老闆承擔風險是公司出現的原因，科斯與後來的阿爾欽及德姆塞茨顯然不同意。我也不同意。

科斯着重的，是在公司之內有看得見的手存在，指導着員工操作。員工自甘為奴這個觀點，在上世紀初期的倫敦經濟學院常有討論，而一組一組的員工作為一家一家公司看也是英國當時的傳統看法。為什麼要用上看得見的手呢？科斯的解釋是產品不知價。驟眼看是套套邏輯，因為凡事知價就是市場，用不着看得見的手。當年我不同意科斯提出的是套套邏輯，因為看得見的手的出現或員工接受指使可以有好些其他理由。

<h3 style="text-align:center">不知價是選擇的結果</h3>

不知價，生產活動當然要用看得見的手，但我認為科斯一九三七年解釋為何不知價是過於複雜，不夠清晰，而且沒有推到一個關鍵的要點上。引進交易費用是理所當然的取向，但這些費用我們不容易解釋為何會增加，更不容易解釋這增加會高於看得見的手帶來的"浪費"。我要到考查了件工合約之後，從合約選擇的角度看，才明白交易費用的變動要從合約的履行與監管的角度才能看清楚。這裡的要點是不知價不是說不可能知價，也不是說因為訊息或交易費用太高所以不知價，而是與容易知價的時間工資相比，把議定合約與監管的費用一起衡量，同樣的生產效果哪種合約的交易費用比較相宜。可以知產品之價，但選擇不知是時間工資出現的原因。

今天我對知價費用的看法很簡單，只有兩點。其一：沒有政府或工會的左右，凡是難用件工合約的生產操作，知價的訊息或交易費用會偏於高過看得見的手帶來的浪費。我在分析件工時指出，過於零散而又變化多的工作難用件工，多人合作時難以劃分貢獻的情況難用件工，產品質量容易有爭議的難用件工。其二，市場物品之內的任何零件，只要量夠大與不違反上述的三方面，可以用件工，而沒有法例干預往往用，但愈是牽涉到專業知識的零件，市場愈不知價。我曾經例舉一部檔次比較高的照相機，內裡的零件我們一般不知是些什麼，市場當然難知價。產出該照相機的廠家可以相當準確地估計整部照相機能在市場賣多少錢，批發之價大約為幾，該廠家會考慮哪些部分用時工，哪些用件工或其他合約，務求整部照相機的預期批發價足以彌補所有成本。

農產品易知價，拍賣品專家頻頻猜錯

我曾經說過，市價的出現是相當奢侈的事。不知價的項目多如天上星。農產品一般容易知價，不僅因為買賣雙方競爭者多，而家庭主婦不可能不知是什麼蔬菜或其質量為何——不會像照相機那樣複雜難明，更勿論後者的零件了。農產品的訊息費用比工業產品為低，也因為其生產程序沒有工業產品那樣複雜，沒有牽涉到那麼多的專業知識與分工合作。

我不明白為什麼沒有經濟學者深入地研究拍賣行的估價與成交價。拍賣行業是掛着專家估價的招牌來賺錢的，二〇一二年一家上海拍賣行把一件不起眼的小宣紙舊畫估價一百元人民幣，拍出的成交價五百多萬！這當然是誇張的例子，但其他比成交價低很多的估價或估得過高拍不出的例子無數。

選擇不知價與不斷權是授權的原因

讓我轉到重要的“授權”話題去。說過了，以時間量度生產要素之量有很低的量度費用，加上不同行業的時間工資市場一般有價，知價的訊息費用是遠比其他量度為低。但時間本身只是一個委託之量，不是產品，監管員工操作的費用會上升。沒有政府或工會的左右，時間工資的採用是基於知價費用的節省高於監管費用的上升，然後再與其他可以選擇的合約相比。我們因而可從交易（或訊息或監管）費用的轉變來解釋不同合約的選擇。科斯說公司替代市場不對，對的看法是不同的合約

互相替代。這些都說過了，要補充的是知價與監管之間的變化有不同的層面。這就帶到授權的話題了。

　　生產要有資產或生產要素的組合。公司的出現不是源於生產要素的斷權成交，而是通過租用或僱用等合約安排。這是局部的使用權利轉讓，但產權的本身還在業主或員工的手上。把使用權局部賣出是以授權的方式，通過合約的安排，來換取租金或工資。這種局部授權的合約可以有多種安排，為了簡化我們主要是從件工與時工這兩種合約作分析。

　　這裡的關鍵問題是如果凡事知價——從產品的每部分到經理人與監管者的每項貢獻皆有價——授權讓人指使就變得不重要了。什麼樣的服務或操作皆有價，授權變得不重要，因為每項微小的貢獻皆可直接以價成交。這是我不同意阿爾欽與德姆塞茨的從卸責的角度分析公司的原因，而跟着的威廉姆森等持有類同看法的我一律不同意。

引進交易費用：四邊兩方的一般均衡

　　授權給公司經理人使用是因為生產貢獻的本身不是通過以價成交的結果。然而，知價與不知價不是黑白分明，二者之間可以有不同層面的灰色。從我曾經提出的履行定律看，愈是清晰地知價，愈是知得細微，需要監管的行為愈少。時間工資合約，工資的本身遠比瑣碎的工作貢獻容易知價，但“時間”可不是產品，只是一個預期有產品的委託量，所以員工要授權，要接受看得見的手的指導與監管。

　　考慮到知價有不同層面的訊息與量度費用，監管與指導也有不同層面的費用，把這些費用組合起來而稱之為交易費用，大事簡化，我們可以推出一個有趣的市場均衡：四個邊際的兩方均衡。第一方是說過的：分工合作帶來的增產利益，在邊際上要跟交易費用的邊際上升相等。第二方是同樣的產出貢獻，合約選擇的均衡是基於不同合約的交易費用在邊際上相等。這四個邊際的"兩方均衡"是引進交易費用的市場一般均衡了——我稱之為四二均衡定律。

當然，做廠或做生意的老闆不會知道我在說什麼：他們懶得管。但在競爭下，不管產品是否有專利或壟斷性，爭取租值極大化會帶來這四二均衡的效果。更重要是引用老師阿爾欽一九五〇年提出的天才之見：在競爭下，這四二均衡是適者生存的結果。

結語：處理私產看得見的手要考市場之試

公司的合約性質是一個非常重要的話題。今天的世界，工商業發展的分工合作帶來的產量大升是人類還可以一起生存的主要原因。然而，我們知道，這分工合作的產出大部分是通過看得見的手的指導與監管，不是通過市價的看不見的手。為什麼人類可以生存呢？為什麼昔日中國的人民公社，由看得見的手指導，帶來饑荒遍野的大悲劇？同學們能想到解釋嗎？

解釋有兩方面，皆與產權有關。第一方面，不管在公司之內的看得見的手怎樣指揮、監管，甚至怎樣胡作非為，產品最後還要過的一關是消費市場的市價。後者是看不見的手！換言之，歸根究底，生產要素為私人擁有，公司之內的看得見的手是由上頭市價這隻看不見的手指導着的。再換言之，市價的出現是源於參與產出的資源屬私產，看得見的手要怎樣幹都可以，但要通過市場考試那一關。人民公社的悲劇不是源於政府策劃或中央指導，而是因為資源非私產，不需要考市場之試。沒有私產約束的資源使用，使用者沒有考該試的入場證。在不同程度上，所有誇誇其談的不用考市場之試的政府項目皆類同。政府或非私產運作提供的價不是市價。

第二方面，私產的轉讓權重要。轉讓權容許資產的擁有者選擇要不要參進公司組織，參進後也可以退出。老闆要聘請我嗎？要我做牛做馬做奴隸皆可商量，但我要看老闆給我的待遇如何或薪酬為幾。老闆言而無信，我另謀高就。

以中國為例，昔日人民公社的失敗是因為幹部不需要考市場之試；今天縣際競爭的成功是因為縣幹部一定要考該試——考土地使用的市場之試——不及格不會有獎金或會被革職；二○○八年推出的新《勞動合同法》把東莞等地搞得一團糟，因為該法出的試題是考政治，大好商人是不容易及格的。

第四節：公司無界、選擇作價與適者均衡

上世紀七十年代初期，實地考查蜜蜂採蜜與傳播花粉時，我問科斯："如果一個果園的主人用一個養蜂者替他的果樹傳播花粉，加起來是一家公司還是兩家呢？"他沒有回應。他可以怎樣回應呢？奇怪在我之前沒有誰注意到這個簡單而又令人尷尬的問題。今天回顧，一百年前英國傳統對公司的看法——一個一個有知覺的小島浮在沒有知覺的海洋上——不着邊際，可能影響了後來沒有什麼解釋力的公司理論。

合約有變註冊不同不代表公司有界

蜜蜂傳播花粉有市場，中、外皆然也。果園的主人可以僱用懂得養蜂的人，可以租用蜂箱，也可以用水果收穫的分成方法跟養蜂者成約。經濟學者可能認為僱用養蜂人該果園是一家公司，但租用蜂箱就是兩家。但為什麼只是轉換了合約形式公司的數量就改變了？分成合約又是多少家呢？我們知道，在不同合約的安排下，果園主人需要監管的事項不同，例如租用蜂

箱他會較為重視箱內的蜜蜂數量，而僱用養蜂者他會較為擔心自己的蜜蜂給隔鄰的果園施殺蟲藥時殺了。這裡的問題是無論你怎樣給一家公司的界線下定義，我可以在一分鐘之內舉出反證的實例。

不要把商業註冊視作公司界定的劃分，因為在很多地方，原則上一家機構之內的所有成員可以各有各的商業註冊。在香港，一個毫無產出的人可以擁有數十家企業或“公司”，把名片用小字印得密密麻麻。但這些名頭公司顯然不是經濟學傳統關心的。

也不要把稅務或財務引進經濟學者關心的公司界定。財務（因而稅務）當然可以界定個人，也可以界定公司，而那所謂有限公司是基於一個創造出來的法人。這些也顯然不是經濟學者關注的公司運作與界定。經濟學關注的公司，是多人合作生產的組織，要從產出物品或提供服務的角度看。從這角度看，公司與公司之間可否用界線劃分呢？我的觀點是不可以，所以提出公司無界之說。經濟學者可能被商業註冊誤導，或被商標誤導，或被稅務或財務誤導了。

大商場與小店子的混合

從產出物品或服務的角度看，公司無界的例子多得很。一間龐大的商場，用着一個商號或名頭，其中多家小店各有各的老闆，各有各的商業註冊，出售的物品各各不同，但一律要遵守該商場指定的規矩，例如開店與關門時間要大家一致。如果該商場收各店的租金是以銷售額的分成算，商場上頭會策劃由一個中央組織收錢。上頭也可能指定所有小店要購買及使用有商場招牌的紙袋等。有些商場之內的小店統一用商場的商號，但如果租用商場的是名牌寶號，則各用各的寶號了。

　　不要以為小店子雲集於一大建築物之內就是一家公司——所謂百貨公司或百貨商場。在美國因為地價相宜，好些購物中心之內的店鋪，不同招牌或商號各有各的獨立建築物，但除了建築物是分開的，其他的合約安排跟多家店子放進一大建築物完全一樣。從我們關注的公司性質看，當然不能以建築物劃分公司。以招牌或商標劃分也不成，因為一家企業之內可以有無數招牌或商標。

層層傳達與外判行為

　　一九六九年在香港考查件工合約時，我在鋪木板地這項目上作了比較深入的調查，因為一位朋友專於該業。當時香港的木板地以每平方英尺算，容易監質與算量，所以一律以件工處理。一個建築商判給一個地板商從事；該地板商提供處理過的木板，然後判給一個鋪地商；最後該鋪地商判給鋪地工人。這例子有三次外判，合共有三家公司組織與一組工人，即四層各自負責稅務與財務。價格的訊息是一層一層地傳達了。有三張合約，皆以每方呎算價，而建築商把樓宇單位賣給顧客是另一張合約。不算顧客，木板地的產出有多少家公司呢？是一（建築商），是三（加地板商與鋪地商），還是四（再加工人，有判頭）？這問題沒有明確的答案，整個鋪地板的程序是一連串的合約組合，怎樣劃分都可以，公司於是無界。

　　工作外判或發放給他家在中國盛行。這是不同工業有地區集中性的一個主要原因。一位在廣東開設塑膠產品廠的朋友曾經對我說："同行如敵國，但我可以對外來的買家說這一帶的塑膠廠不少是我的，而不少塑膠廠可以說我的是他們的。"有外來的大買家出現，要看廠，該友會問要看多少家。是的，一家小小的成衣出口店子，其背後一定有一些聯絡好了的製衣廠。

　　同行如敵國沒有說錯。一家有規模的工廠往往有自己的山寨，把工作發放出去。如果發放出去的工作不夠多，養不起山寨，就不可以獨佔該山寨了。為了保護自己的利益，或要把行家殺下馬來，發放工作之際廠家們要爭取有自己的商標，要保持自己的設計與模型，有些事項要守秘，而產品中有關鍵性的那部分要自己造。競爭接單，競爭議價，競爭質量與發明，但在產出上競爭與合作是沒有衝突的。

　　我們也要注意，好些行業一些專家要一起為多家公司服務。我考查過魚塘養魚的例子。農戶各有各的魚塘養魚，塘數多少有別，但不同的農戶會共用同一的養魚專家。這專家駕着摩托車在農村到處跑，指導着什麼時候要下藥，什麼時候要加氧，以及提供飼料與價格變動的資料。一個專家同時為多家公司服務是常有的現象，公司怎麼樣劃分界線呢？

公司無界與星光比喻

　　公司可以有界：兩兄弟在街頭賣小食，既不為他家服務，也不僱用其他人，公司之界明顯。然而，真實世界的情況往往不這樣：僱用或租用的合約往往擴散開去，工作不斷地外判，瓜與藤地不斷相連，推到盡頭可以把整個經濟甚至整個地球以合約串連在一起。公司於是無界。這無界的合約串連與擴散增加了分工合作帶來的產品與產量上升的幅度。換言之，公司無界的生產力比公司有界的為高。

　　公司無界，但我在上節提出：不管在公司之內的看得見的手怎樣指揮、監管，甚至怎樣胡作非為，產品最後還要過的是消費市場的市價那一關。如果我們撇開政府對市場的干預，從所有生產要素皆私有的局限衡量，引進交易費用（包括訊息及監管費用），我們可以看到一幅足以令人拍案的圖畫！是的，這

畫作比斯密的看不見的手指導着資源使用遠為複雜，但秩序井
然，也屬佳構。

　　要怎麼樣說呢？公司無界，但市場物品之間的市價有界。
消費者或最終使用者看着市價作選擇，而從事生產的人也看着
這些價，彷彿看着天上的星星，不斷地思量，因為他們要考好
市場之試才能活下去。簡化作比喻，我們稱為看不見的手的市
價是上面的星星，照亮及傳達着訊息，而下面公司內的看得見
的手是看着上面的星星作指揮與監管了。如果一個社會成員認
為獨自產出的售價帶來的收入比不上參與公司組織，他會參
與，但這樣做他要授權給老闆或經理人指揮與監管了。不斷地
看着不同物品的市價的責任就轉到老闆或經理人那邊去。

　　我在卷三分析擠迫效應時說過，沒有足夠的擠迫邊際成本
曲線畫不出來。傳統說的以邊際成本與邊際收入相等來訂價顯
然不是一般的情況。產出者當然要算成本，但售價從何而定他
們往往是看着天上的星星。這不是說邊際產量下降定律與邊際
成本的理念不重要，當然重要，因為沒有這些競爭產出與租值
釐定不會有解釋。我只是說在好些情況下市價的指引不是靠邊
際成本等於邊際收入，而是競爭者一起看着大家一起釐定的市
價，彷彿看着天上的星星，而這些星星是整個市場甚或整個經
濟一起釐定的。這解釋了我們常見的市價波動、討價還價、捆
綁銷售、全線逼銷、傾銷等現象，不能從個別產出者的邊際成
本等於邊際收入來處理。

　　傳統的分析彷彿是暗地裡假設沒有交易費用，但沒有交易
費用不會有市場。引進交易費用，分析就變得遠為複雜了。

跟前輩的看法有別

　　市價傳達訊息這個重點不是我的發現：哈耶克一九四五年

這樣說，其實斯密一七七六年就這樣說了。問題是因為有訊息或交易費用，無數的物品或服務沒有價。除了為數不多的期貨市場物品及一些農產品，通過公司運作產出的，不管有沒有壟斷性，出售的皆由看得見的手選擇性地放出去。當然考慮市場的訊息，但因為訊息費用存在，不能見價受價。他們開的價一般是投石問路。市場的人一起看着這些價，互相競爭，其行為影響着這些價的變動。適者生存，我們見到的市場之物與價是淘汰下來的結果。沒有交易費用，市場的物與價的數目無從決定。引進交易費用物與價的數目會大幅地減少。瓦爾拉斯傳統的一般均衡假設這些數目，沒有經濟內容。

說物品或服務的市價可以作為星星看，傳達着訊息，沒有錯，但哈耶克等前輩沒有注意到通過公司運作的產品一般是由看得見的手選擇性地放出去，而這些產品之價是包含着他們的指導及監管的費用。今天博弈理論關注的所有行為全部是算進了這些價之內的。市價因而得來不易，我們見到有價的只是無數物品與服務中很少的一部分。公司的看得見的手或經理人的收入全部是交易費用。要不是分工合作能帶來那麼大的增產效益，跟着公司無界再加大了這效益，今天的世界不會有那麼多的人。

市價傳達訊息與誤導的保障

因為訊息或交易費用的存在，無數的物品或服務沒有市場，有代價但沒有市價。也因為這些費用的存在，某些物品的市價可以出現相當大的方差（variance）。要考市場之試的人，為了生存，會想出應對的方法，反映在分成、分紅及其他合約的安排上。如果我們引進阿爾欽提出的適者生存的看法，在公司之內出現的為看得見的手而安排的合約選擇就變得順理成章

了。市價可以誤導，甚至嚴重地誤導，但大體上市價傳達着的
訊息可靠，而適者生存是這可靠性的保障。

市價出現方差是說星星可以時明時暗，而光芒不可方物的
星星就彷彿這些年數碼科技帶來的新產品，一窩蜂的公司趕着
去應試。我不懂數碼科技，但注意到蘋果的手機同代的一般只
有一兩款，而三星的手機卻有多個不同的型號。前者有一兩個
價，後者有多價。任何生產商提供一種產品面市開出一個價，
提供幾種開出幾個，皆屬投石問路，或要照亮着些什麼。蘋果
與三星正在鬥法，而今天中國的華為大事加入戰場，還有其他
好些牌子，同學們可以猜猜最終誰會勝出。

經濟科學可以是有深度的藝術

引進交易費用的分析不容易。經過多年的探討，我得到的
收穫是從合約的角度處理這些費用是好去處。斯密分析的看不
見的手與市場的結合是一幅只有天才可以想出來的精彩的畫。
我們加進交易費用看公司與市場當然遠為複雜，但從這裡提出
的星星比喻與看得見的手要應市場之試的角度看，這複雜帶來
的畫面是增加了有深度的美。我要重複再説：在交易費用不菲
的局限下，市價的數目大幅減少了。還存在的市價像天星閃
閃，下面無數的工作產出者以合約互相串連，公司無界，指揮
着他們操作的是一群看得見的手——看着星星的光暗變動的
人。另一方面，因為局限常有變動，這樣的串連運作會不斷地
影響市價的變動，幸或不幸的故事常有，但就是這樣分工合
作，通過合約的串連，產量的大升養活了無數的人。

科學不是藝術，但可以有藝術上的美。私產制度的運作，
沒有政府干預，引進交易費用我們還可以看到一幅在複雜的變
化中有和弦的畫。如果把資源使用分為兩部分，私產歸私產，

政府歸政府，經濟學者可以創造出來的兩幅畫作皆不難有藝術品味。困難是在基於私產的市場中政府插手干預，客觀的分析要有藝術性很困難！

干預市場是把污泥塗在名畫上

一時間我想到梵高的名畫《星光燦爛的夜空》，可能是他最複雜的作品，但觀者感受到的是有深度的美，有足以震撼心靈的和弦，屬頂級藝術無疑問。以合約處理交易費用再帶進公司與市場當然複雜，但處理得恰當也表達着有深度的和弦。政府干預市場合約是另一回事：彷彿梵高的《星光燦爛》給人塗上污泥了。

科學要基於現象有規律才可以研究或解釋。經濟科學是基於人類的所有行為皆有規律。政府干預市場，只要說清楚法例為何與怎樣執行，我們可以準確地推斷怎麼樣的現象規律會出現。困難是我們很難看出政府推出的干預市場的法例有什麼規律。好比二〇一四年讀到新華社的報道，說中國十年來干預樓市九次，方法次次不同！有什麼規律呢？我們見到的只是有人把污泥塗在梵高的名畫上。

交易費用與適者均衡

然而，干預的污泥掩蓋不住真理的光輝。斯密的看不見的手是偉大思想，但因為沒有引進交易費用，這些年被經濟學者束之高閣，轉以不可以驗證的博弈理論來處理市場或社會的運作。本章提出的合約一般理論，容許博弈理論關注的人類會偷懶，會卸責、欺騙、恐嚇、勒索等社會認為是醜陋的行為。追求可以驗證的假說，我把這些行為放進合約結構的履行與監管，也把社會的風俗與禮儀處理為人與人之間的合約約束。偷懶、勒索等行為於是被埋在合約選擇與交易費用中，再提及是重複了！監管與訊息等交易費用無疑龐大，但比不上分工合作帶來的增產利益，而公司無界的合約串連帶來的增產價值是更大了。偷懶、勒索等行為我們無從觀察，但交易或訊息費用的轉變我們大可衡量。後者是我選走的路，用驗證假設的方法來解釋世事多年以來是得心應手的。

老師阿爾欽把達爾文的思想，天才地放進市場去，容許我們在合約選擇與監管履行的複雜變化中畫出一幅有和弦的圖畫。從適者生存的角度處理合約選擇與引進交易費用，分析的解釋力是更強了。然而，這樣處理，我們要把斯密的看不見的手推到天上的星星去，照亮着下面的看得見的手指揮着生產者的操作。

上述的經濟含意重要，因為提出了一個新角度把看得見的手救了一救。交易或制度費用往往龐大，人類的看得見的手可以胡作非為。然而，只要上面有着星星似的市價提供訊息，反映及過濾着下面看得見的手的一舉一動，在競爭下，為了生存他們要看着這些星星來約束自己的行為，否則會遭淘汰。只要資產的權利有了界定——不管誰屬，也可以是政府的——有合約選擇的自由，上面的星星必會出現。不管下面產出的是毫無特色的物品，還是有發明專利、商業秘密或有獨特風格的有壟斷性的物品，皆要競爭，而看着星星的競爭者會把交易費用減到在適者生存的約束下最低的。困難或災難的出現不是源於政府的操作，而是政府受到利益團體的左右，干預公司的合約選擇，或干預作為星星的市價。前者增加了可以不增加的交易費用，後者是把星星的光彩改變了。二者皆導致租值消散，推到盡頭是人類的滅亡。

這裡提出的畫面不是偉大的思想——比不上梵高，更比不上斯密——但有新意。有機會傳世乎（一笑）？非常重要的是我們能引進交易費用這項歷來難於處理的局限而推出可以驗證的假說。這要從合約選擇的角度看問題，把不同合約的選擇與看得見的手的操作掛上了鈎，公司無界，而用上適者生存這個理念讓我們一筆過地處理了可以是無數的邊際價值相等的理論均衡。是從老師阿爾欽的精彩思想發展過來的，我稱之為 "適者均衡"。

這裡提出的 "適者均衡" 與上節提出的 "四二均衡" 不僅沒有衝突，而且相得益彰。後者是包括在前者之內，只是放大了一點看。是的，大致上，本章創立的合約一般理論是把交易費用這項歷來麻煩但在真實世界無可避免的局限完整地處理了。

第五節：失業的解釋

經過七個月的集中思想、動筆，合約的一般理論寫到本章的第四節寫完了。其實整個話題我思考了整整五十年！源於一九六六年初推敲佃農理論時，因為土地租金用一個百分率，沒有價，迫使我想到合約結構那方面去。跟着的思想發展很慢，因為每一步皆要找現象與假說驗證。合約的一般理論我早就知道存在，老是不敢動筆，推到今天日暮黃昏，博一手算是對自己作了交代。

"一般理論" 又稱 "通論"，上節以 "適者均衡" 收筆實在好。這均衡是說我們見到市場存在的物品、服務與市價，全部是淘汰下來的結果。我想到這簡單看法，因為引進交易費用數之不盡的邊際價值湧現，要算出邊際價值相等是算之不盡的。在第三節我提出 "四二均衡"，是經過大手簡化才選出四個重要的邊際價值，包括四二均衡的適者均衡是全部簡化了。

　　適者均衡是套套邏輯（tautology）嗎？應該是，但可以不是。科學上無數的重要思想皆源於套套邏輯，因為那是提供着一個角度看世界。問題是有些套套邏輯空洞無物，另一些雖然也屬定義性，但提供的角度夠新奇，讓我們看到一些之前看不到的好去處，可以加進驗證條件（經濟學稱局限條件）的變化來推出可以驗證的假說。適者均衡的思維來自老師阿爾欽。我不是先有這個理念然後把交易費用放進去，而是經過多年引進交易費用來解釋瑣碎的現象，知道有關的邊際均衡複雜得不好寫出來，四二均衡作了很大的簡化，多走一步就是適者均衡了。是從解釋現象推到盡頭的結果，所以可以倒轉過來求假說驗證。另一方面，從我接受的阿爾欽的角度看，經濟學的邊際相等均衡不是由市場的人刻意地爭取，而是競爭淘汰下來會是這樣。

沒有公司組織不會有失業

　　失業與公司的關係我在《收入與成本》的第三章分析過，這裏再討論，因為關於公司的性質我從來沒有寫得像本章那麼清楚。同學們讀到這裏對公司的認識應該更上一層樓，回頭再分析失業他們會明白多一點。

　　公司與失業有兩個關連。其一是沒有公司這種伙伴合作的組織不會有失業。其二是失業主要出現在以時間算工資這種合約。如果社會所有的人皆屬獨行俠，自食其力，或像舊中國那種家庭式的運作，產品各自拿到市場去，不會有失業這回事。自己產出應市，不產出沒有生計，何來失業呢？政府的干預不論，失業是起自公司的多人分工合作帶來的增產，使參與公司的收入比獨自產出的為高，於是參與，但遭解僱，一時間找不到類似的僱用機構，找不到可以接受的“伙伴”合約，也不願意自立門戶，繼續找公司僱用，在尋找期間就是"失業"了。至於為什麼有時找很久也找不到，是深學問，過後我會試作解釋。

參與公司的收入比獨自產出應市的收入為高，是公司出現的原因。然而，在邊際上，某些人獨自生產的收入可能高於參與公司，或跟參與公司的收入相等，所以不會參與公司。一個人遭公司解僱，定義上他獨自生產的收入不會高於參與公司的，可能低很多，所以要找公司合約的工作，找尋期間算是失業。這裡要注意：雖然在邊際上某些獨自生產的收入會高於或跟參與公司的相等，但一旦公司解僱的人數增加，這些"失業"的會對獨自生產的收入施壓，因為失業的也考慮轉到獨自生產那邊去。這樣，當經濟不景，遭公司解僱的人數增加，壓力轉到獨自生產那邊去，以致同樣一個百分點的公司失業人數增加，失業率愈高對經濟不景的影響愈大。即是說，從百分之七升至八的失業率增加，對經濟不景的影響比從百分之二升至三為大。

<h2 style="text-align:center">時間工資沒有自動下調機制</h2>

為什麼我說失業主要源於以時間算工資呢？因為這種合約是唯一的沒有自動把工資下調的機能。把分紅或獎金放進合約，指明公司生意欠佳會下調，是工資自動下調的機制。好比日本喜歡採用小工資加大分紅，上世紀七十年代經濟如日方中時員工獲分紅多到笑，跟着八十年代後期起經濟轉弱，員工的分紅收入大跌，但失業率近於毫無變動。分成合約當然更如是。比較難看出工資有自動下調機制的是件工合約：生意欠佳件工工資下調也近於自動。產品要減價，否則要停工，老闆容易說服件工的工資非減不可是實情，而工人知道，如果產品之

價回升，他們的件工工資會跟着回升。只是以時間算工資不容
易有下調的説服力，就是員工明知要下調也往往拒絕接受，或
通過工會拒絕接受，促使僱主要把員工選擇性地局部解僱。這
裡的原因過後再説。

失業定義見仁見智

失業的定義經濟學者有爭議。我接受的是：一個可以工作
而又願意工作的人，找不到自己願意接受的待遇或薪酬，也不
願意獨自生產。這是自願的選擇性失業，voluntary
unemployment 是也。經濟學傳統喜歡以非自願
（involuntary）來給失業下定義。這沒有意思，因為非自願是
説沒有選擇，而沒有選擇的行為經濟學是無從處理的：不管局
限怎樣約束着工作的選擇，不工作還是在局限約束下的選擇結
果。

從經濟學那方面看，政府提供的失業定義我們不要管：處
處不同，我們管不了那麼多。不少經濟學者認為沒有失業這回
事，認為找尋工作也是工作。另一方面，我們沒有理由懷疑最
低工資的執行與不工作會獲得政府派錢的福利不僅會導致失
業，而且是失業的兩個主要原因。工資不夠高有錢派為什麼要
工作呢？幾年前讀到香港政府的報告，説最低工資會鼓勵失業
的人找工作，因而減低失業率。不容易見到這麼有趣的政治言
論。

兩個現象需要解釋

有失業這回事嗎？算找工作找不到的時間是失業，是有；
不算是沒有。這跟政府統計的算法不同。但政府的統計有兩個
現象我們不能漠視。其一是所有國家或地區的失業率一般是跟
經濟的增長率變動作反方向走。這不難解釋。非常難解釋的是

其二：同樣的高失業率，有時只持續了一兩年甚或更短的時日，但有時持續地高企不下。後者可見於二○○八年起自美國金融風暴之後，約六年後才開始下降，而這下降據說好些是因為政府的統計準則使然。同一時期，歐洲一些國家的失業率升至百分之二十五而還高企不下。絕對是災難！

很高的失業率持久不下是很難解釋的。以勞工法例或福利經濟作解釋不容易，因為這些人為的局限約束歷來存在，基本上沒有變，但為什麼高的失業率有時下降得快有時頑固呢？據說上世紀三十年代的經濟大蕭條的高失業率曾經下跌又再上升。希克斯（J. Hicks）健在時給我的解釋是保護主義使國際貿易大幅地收縮了，有道理；弗理德曼說貨幣政策頻頻出錯也有道理。但上世紀三十年代的資料我們今天不是那麼清楚，政府的統計沒有今天那麼先進，真實的失業數據為幾有爭議。今天呢？歐洲的情況就在眼前，統計的方法沒有變動過。為什麼高企的失業率頑固難下呢？說是因為有訊息費用近於定義性，說了等於沒有說。一個看法是訊息費用上升了。我認為最可能是源於那裡的福利制度與最低工資的合併：持久地不工作政府繼續派錢。

房子空置與員工失業有六點分別

我不敢說自己有失業率頑固高企的解釋，但可以嘗試。讓我先把出租的房子空置（失業）與工人失業相提並論，把問題看清楚一點。在今天的中國，空置的住宅樓房相當多，主要是因為這些樓房建好出售時沒有裝修。為何沒有裝修是另一個話題，這裡不管。好些業主不考慮裝修出租，因為裝修費大約是兩至三年的租金，加上某程度租客會損壞裝修。也有好些是裝修好出租的，租金太低業主寧願不出租，因為恐怕補償不了租客對房子的損壞。這正如工資太低工人選擇不打工，但這算不上是失業，雖然政府的統計可能説是。經濟出現不景，工資容易下調是防止解僱及失業的好辦法，但下調過甚員工會選擇自己另謀生計。

回頭看出租的房子，有些地區因為人口與需求的變動而出現供過於求的情況：租金可以下降很多也沒有租客。這種 "失業" 情況源於房子不能搬動，與可以走動的員工不同，因而不是我們在這裡要關心的。跟公司的員工相比，出租的住宅房子有如下幾點分別。

一、同區的同樣級別的房子不僅租金相若，更重要是需求下降使租金下降後，需求回升租金也回升。需要的租金下調因而容易被業主接受。員工的工資呢？下調不僅比較困難，如果員工的工資大幅下調後遭解僱，再找工作，被解僱時的低工資是他們生產力的不幸訊息。一個月薪三萬的人解僱前減到一萬，市場需求回升後不容易找到月薪三萬的工作。出租房子沒有這個困難——市場需求一落一上，月租減到一萬會回升到三萬，所以房子比較容易接受租金下降。

二、員工以時間算工資只是一個委託之量，本身不是產品，但租用房子的時間本身是消費品，其市值為何大致上市場有公論。轉看公司內的員工，同樣工資，其生產貢獻在不同方面各有長短。市場需求下降，劃一的減薪好些時不是上策，而遇到員工抗拒時，僱主往往選擇性地解僱一部分不是那麼適用的員工，其他不解僱的員工的工資或略減或不減。

三、一個員工在一家公司工作了好些時日，有了人事關係與對該公司的操作風格的體會，工資提升了，但這些有個性的體會其他僱主通常不適用，被解僱後要在他家找到同樣待遇的工作不容易。昔日美國的同事稱這些有獨特個性的為特殊知識（specific human capital），用以解釋失業。西方的工商業運作我沒有深入地考查過，但在中國（包括香港），那些所謂"老臣子"知道自己的優勢在哪裡適用，容易接受減薪，也知道生意回升自己的薪酬會回升。另一方面，分紅或獎金之類的合約通常是為老臣子們安排的。再另一個方面，老臣子自動轉工（跳槽）往往有大着數，因為新僱主要購買他們的特殊知識或商業秘密，但被解僱則很麻煩——退休可能是他們的選擇。這裡提出的特殊知識出租的住宅房子少有。

四、公司為了謀取分工合作之利，員工有伙伴合約的串連，加上公司無界，某部分的員工失業牽涉到的範圍可以很廣。好比二○○八年中國的新勞動法例左右了某些製造業，造包裝紙盒的小廠紛紛遇難。出租的住宅房子一般沒有這種連鎖效應，或起碼小很多。

五、房子不能自食其力。即是說，一個員工遭解僱可以獨自生產或設立自己的公司，但房子租不出去，如果業主不自用或不賣出，就只能空置。是的，上世紀六十年代香港出現移民潮，房子的空置率高到天上去，但上世紀四十年代中國時逢亂世，沒有誰聽到有工人失業這回事！

六、政府可以通過牌照的發行，或公務員的格外高薪，或有工會的約束，而導致本領相若的人有着頗大的薪酬差距。這差距誤導，可使失業而又認為自己本領不亞於人的繼續找待遇較高的工作。失望的例子無數，而我的觀察是不出一兩年這些人會被現實說服。但政府租用房子給公務員住不能付格外高的租金而不捱千夫之罵，因為房子的市值租金為何騙不得人。

社會同情工人失業不同情業主破產

隨意的觀察，是出租房子的空置率往往不比工人的失業率
為低，但市場租金的下調顯然遠比時間工資的下調容易。另一
方面，社會人士非常關心工人的失業率，卻很少關心出租房子
的空置率，雖然有些業主窮得要命，或房子欠着銀行不少錢，
租金下跌過甚要宣告破產。社會不同情後者，可能因為業主掛
着有錢人的招牌，遭利益團體仇視久矣。但我認為社會"同情"
失業工人的主要原因，是合約串連的擴散，一方面對社會整體
的禍害可以很嚴重，另一方面失業的擴散會使利益團體成為大
輸家。

一般失業不難解釋

上述可見，在通常的情況下，失業的解釋不怎樣困難。訊
息費用及偶爾出現的供過於求的情況可以解釋出租房子的空
置。另一方面，員工或勞動力不參與公司組織一定要自食其
力，所以失業要遭公司解僱才出現。在公司的合約安排下失業
主要源於沒有自動下調機能的以時間算工資的合約。員工被解
僱後在一段時期找不到自己願意接受的工作，稱失業，其實是
在有訊息費用的局限下自己這樣選擇。加進了政府法定的最低
工資與福利綜援等是增加了選擇的約束，算進訊息費用——包
括自食其力的訊息——找工作當然更困難了。至於找工作的時
間算不算是失業是見仁見智的事。

信貸大升急降難倒費雪

難題的出現，是政府統計的失業率有時會在高處持續很
久。不一定是同樣的失業者，而是同樣統計的高失業率有時歷
久不下。今天西方之見，是百分之六以上的失業率是社會不可

以接受的"高"（數十年前是百分之四）。持久不降是說通常的
訊息費用解釋不了。為這現象我想了很久，得到自己不敢肯定
的解釋是有着兩方面的合併。其一是市場出現了對經濟前景有
長遠不看好的情況。上世紀二十年代後期的美國，八十年代中
期的日本，本世紀〇八年之前的美國及歐洲，都出現了信貸大
幅膨脹（credit expansion），然後大幅收縮，導致資產（尤其
是房地產）之價大幅下降。這些信貸的膨脹與收縮大致上沒有
導致通脹與通縮，但資產之價是先大升然後大跌了。這代表着
人民的財富先大升然後大跌。從費雪的觀點看，財富是預期的
收入除以利率。財富上升，含意着預期的收入上升，但在實際
上經濟發展的本身沒有能力支持那麼高的收入預期。一旦因為
信貸急縮而使資產之價大跌，人民再向前看，他們不能不把將
來的收入預期向下調校。這是為什麼二〇〇九年我說西方不搞
起通脹很難脫困的原因。說不得笑，信貸大升然後破裂帶來的
經濟不景很麻煩，我在卷三作過自己滿意的解釋。

防守策略難倒凱恩斯

　　這裡要解釋的不是為何失業，而是高的失業率為何頑固難
下。人民的收入預期不容易上調得快是一個原因。另一個原因
是投資者採取防守性的投資策略。凱恩斯學派主張政府大手花
錢來振興經濟，二〇〇九年美國的經驗是有着零的效果——這
邊增產帶來那邊減產，稱擠出（crowding out）效應，加起來
是零。該學派忽略了的還有另一個要點：雖說投資有振興經濟
之效，但不同的投資對僱用員工或勞動力是有着很不相同的效
果。購買政府債券或購買黃金等，也屬投資，但對工人的就業
效應是零甚或負值。好些其他投資，例如購買土地或做小生
意，需要僱用的人手不多，而凡是多用員工的投資或行業，需
要的合約組織或瓦解牽涉到的費用高，不是防守的好去處。

另一方面，工廠很難做。不要被偶有發達的廠家誤導。一般而言，做廠是天下最困難的行業。天天看着成本的老闆們，動不動需要防守。前景不妥，他們最方便的選擇是解僱部分員工，因為機械設備一般是覆水難收的投資。解僱員工當然是選工資沒有自動下調機能的時間工資合約了。

合約的自由選擇還是關鍵

在舊版《制度的選擇》中，關於合約的"履行定律"之外我還提出"選擇定律"。後者是說合約的選擇愈多愈自由，交易費用（包括訊息與監管費用）愈低。這次再寫合約，我刪去了選擇定律，認為明顯，不用說。這裡論失業，再提及是因為我肯定，如果沒有最低工資、勞工法例、福利綜援等干預着合約的自由選擇，今天西方的高失業率絕對不會那樣頑固難下。上世紀九十年代中國從百分之二十以上的通脹急速地調控為百分之三的通縮，房地產之價普遍地下降了三分之二，但失業率的上升不到一個百分點。當時中國工商業的合約選擇的自由度之高是我平生僅見的，而政府也沒有派失業錢。

以訊息費用解釋失業源於施蒂格勒及阿爾欽的兩篇鴻文。但他們沒有從合約結構的角度看問題，不足為甚，這裡我為自己歷來敬仰的兩位前輩作了補充。

參考文獻

F. H. Knight, *Risk, Uncertainty and Profit*. Houghton Mifflin Company, 1921.

R. H. Coase, "The Nature of the Firm," *Economica*, 1937.

G. J. Stigler, "Information in the Labor Market," *Journal of Political Economy*, 1962.

S. N. S. Cheung, "Transaction Costs, Risk Aversion, and the Choice of Contractual Arrangements," *Journal of Law & Economics*, 1969.

A. A. Alchian, "Information Costs, Pricing and Resource Unemployment," *Economic Inquiry*, 1969.

A. A. Alchian and H. Demsetz, "Production, Information Costs, and Economic Organization," *American Economic Review*, 1972.

S. N. S. Cheung, "The Contractual Nature of the Firm," *Journal of Law & Economics*, 1983.

人名索引
(Name Index)

223

經濟解釋 第四版

全五卷之四：合約的一般理論

Steven N. S. Cheung, Economic Explanation, Fourth Edition
Book Four of Five: The General Theory of Contracts

作　者	張五常
封面攝影	張五常
扉頁書法	張五常
扉頁篆刻	茅大容：山一程水一程
	吳子建：張五常
書底篆刻	茅大容：燈火闌珊處
總編輯	葉海旋
助理編輯	黃秋婷
設　計	陳艷丁
出　版	花千樹出版有限公司
	地址：九龍深水埗元州街 290-296 號 1104 室
	電郵：info@arcadiapress.com.hk
印　刷	利高印刷有限公司
初　版	二〇一七年六月
ISBN	978-988-8265-81-7

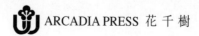

ARCADIA PRESS 花千樹